La maisor

Biographie

R. L. Stine est né en 1943 à Colombus aux États-Unis. À ses débuts, il écrit des livres interactifs et des livres d'humour. Puis il devient l'auteur préféré des adolescents avec ses livres à suspense. Il reçoit plus de 400 lettres par semaine ! Il faut dire que, pour les distraire, il n'hésite pas à écrire des histoires plus fantastiques les unes que les autres. R. L. Stine habite New York avec son épouse Jane et leur fils Matt.

R.L. Stine

Chair de poule ®

La maison des morts

Traduit de l'américain
par Marie-Hélène Delval

Trente et unième édition

bayard jeunesse

Titre original
GOOSEBUMPS n° 1
Welcome to dead house

© 1992 Scholastic Inc.,
Tous les droits réservés. Reproduction même partielle interdite.
Chair de poule et les logos sont des marques déposées de Scholastic Inc.
La série Chair de poule a été créée par Parachute Press, Inc.
Publiée avec l'autorisation de Scholastic Inc.,
557 Broadway, New York, NY 10012, USA
© 2017, Bayard Éditions
© 2011, Bayard Éditions
© 2001, Bayard Éditions Jeunesse
© 1995, Bayard Éditions pour la traduction française
Loi n° 49 956 du 16 juillet 1949
sur les publications destinées à la jeunesse
Dépôt légal mars 2011

ISBN : 978-2-7470-3686-3

Avertissement

Que tu aimes déjà les livres ou que tu les découvres,
si tu as envie d'avoir peur, **Chair de poule** est pour toi.

Attention, lecteur !
Tu vas pénétrer dans un monde étrange
où le mystère et l'angoisse te donnent rendez-vous
pour te faire frissonner de peur… et de plaisir !

Jimmy et moi, nous avons tout de suite détesté la nouvelle maison.

Elle était grande, c'est vrai, presque un château comparée à celle où nous habitions. C'était une bâtisse en briques rouges surmontée d'un toit d'ardoises, avec des rangées de fenêtres encadrées par des volets noirs.

Je l'observais depuis la rue et je pensais : « Qu'elle est sombre ! »

La maison paraissait enveloppée par l'obscurité, comme si elle cherchait à se dissimuler dans l'ombre des vieux arbres tordus penchés au-dessus d'elle. On était au milieu de juillet, pourtant un épais tapis de feuilles mortes couvrait le sol de la cour. Je les entendais craquer sous mes baskets, comme j'avançais dans l'allée de graviers. Les mauvaises herbes avaient totalement envahi les vieux massifs de chaque côté du porche. Cette maison me donnait la chair de poule. Et mon frère Jimmy avait tout l'air d'éprouver la même chose.

Monsieur Andrew, le jeune employé de l'agence immobilière, se tourna vers moi et demanda gaiement :

– Alors, ça vous plaît ?

Il avait des petites rides au coin des yeux — des yeux très bleus — quand il souriait.

– Jimmy et Anna ne sont pas très contents de déménager, répondit papa en remettant son pan de chemise dans son pantalon.

Papa est un peu trop gros et il a toujours des problèmes avec ses pans de chemises. Maman marcha vers la porte d'entrée, les mains dans les poches de son jean. Elle sourit à monsieur Andrew et elle ajouta :

– C'est un peu dur pour les enfants, vous savez. Déménager, perdre ses copains, s'installer dans un lieu inconnu, c'est forcément inquiétant.

– Inquiétant, c'est le mot, dit Jimmy. Elle est moche, cette baraque !

Monsieur Andrew tapota l'épaule de mon frère et dit en riant :

– Ah, ça, c'est une vieille maison !

Papa ajouta :

– Elle a seulement besoin d'être arrangée, tu sais, Jimmy. Elle est inhabitée depuis pas mal de temps, alors il faudra faire quelques travaux.

– Et regarde comme elle est grande, ajouta maman, tout sourire.

Elle rejeta en arrière sa mèche de cheveux noirs :

– Vous aurez chacun votre chambre et même une salle de jeux. C'est bien ce que vous vouliez, n'est-ce pas, Anna ?

Je haussai les épaules. Un petit vent froid me faisait frissonner.

C'était pourtant une belle journée d'été. Mais plus j'approchais de la maison, plus j'avais froid. C'était sans doute à cause de ces énormes vieux arbres et puis je ne portais qu'un short et un débardeur. On avait eu très chaud dans la voiture, mais maintenant, j'étais glacée. Je pensai qu'il ferait peut-être meilleur à l'intérieur.

Comme il montait les marches du perron, monsieur Andrew demanda :

– Quel âge ont les enfants ?

– Anna a douze ans, répondit maman. Et Jimmy vient d'en avoir onze.

Monsieur Andrew remarqua :

– Ils se ressemblent tellement !

Je me demandai si c'était un compliment. Mais c'est vrai, Jimmy et moi, nous sommes tous les deux grands et minces, avec des cheveux bruns comme ceux de papa et des yeux bruns. Les gens disent toujours que nous avons « l'air sérieux pour notre âge ».

Jimmy cria brusquement :

– Je veux retourner à la maison ! Je déteste cet endroit !

Mon frère est le gosse le plus impatient que la terre ait jamais porté. Quand il veut quelque chose, c'est tout de suite. Moi, je pense qu'il est un peu trop gâté. Il finit toujours par obtenir ce qu'il veut. Sur ce plan, nous ne nous ressemblons pas du tout. Je suis bien plus patiente que lui, et plus sensible aussi. Peut-être parce que je suis l'aînée, et parce que je suis une fille.

Jimmy prit papa par la main et le tira vers la voiture :

– Viens, Papa, on s'en va ! Allez, viens !

Mais je savais que cette fois, il n'aurait pas gain de cause. Nous allions réellement nous installer dans cette maison.

C'était une affaire incroyable, elle ne nous coûtait rien ! Un grand-oncle de papa, un homme que nous n'avions jamais vu, était mort et il nous avait laissé cette maison dans son testament.

Je n'oublierai jamais la tête de papa le jour où il a ouvert la lettre du notaire. Il a lancé un formidable hourra et il s'est mis à danser autour de la table en poussant des cris de Sioux.

Tout le monde a cru qu'il était tombé sur la tête. Papa a lu, relu et re-relu la lettre et il nous a expliqué :

– Mon grand-oncle Charles est mort et il nous a laissé une maison en héritage ! Dans un patelin qui s'appelle Tombstone.

Jimmy et moi, on a crié :

– C'est où, ça, Tombstone ?

Papa n'en savait rien.

Maman lisait la lettre par-dessus son épaule.

– Je ne me souviens pas d'avoir jamais rencontré ton oncle Charles, s'est-elle étonnée.

– Moi non plus, a reconnu papa. Mais c'était sûrement un chic type. Sapristi, on se croirait dans un conte de fées !

Il a enlacé maman et ils se sont mis à danser tous les deux autour de la table.

Papa avait des raisons d'être excité. Il cherchait depuis longtemps un moyen de quitter un ennuyeux travail de bureau pour se consacrer totalement à sa carrière d'écrivain. Cette maison qui ne lui coûtait rien, c'était un cadeau du ciel.

Voilà pourquoi, une semaine plus tard, nous nous retrouvions là, à Tombstone, à quatre heures de voiture de chez nous, contemplant pour la première fois notre nouvelle maison.

Et nous n'étions même pas encore entrés à l'intérieur que déjà Jimmy tentait d'entraîner papa vers la voiture pour repartir.

– Arrête de me tirer comme ça, Jimmy, cria papa en secouant sa main pour la dégager.

Je vis qu'il jetait un coup d'œil embarrassé à monsieur Andrew, alors je décidai de lui venir en aide. Je pris mon frère par les épaules et lui dis tranquillement :

– Allez, Jimmy. On a promis aux parents qu'on visiterait la maison de Tombstone et qu'on déciderait après, tu te souviens ?

– C'est tout décidé, gémit mon frère sans lâcher la main de papa. Cette maison est vieille et moche et je la déteste.

Cette fois, papa se fâcha :

– Mais tu n'as même pas vu comment c'était à l'intérieur !

– Bien sûr, s'écria monsieur Andrew. Venez, je vais vous faire visiter.

Jimmy boudait toujours :

– Moi, je reste dehors !

Jimmy est capable d'être aussi têtu qu'une mule. Cette maison me déplaisait autant qu'à lui, mais jamais je n'aurais osé faire un cinéma pareil.

Maman insista :

– Voyons, Jimmy, tu ne veux pas voir les chambres pour choisir la tienne ?

– Non, grogna Jimmy.

Je suivis son regard et levai la tête vers la façade. À l'étage, de chaque côté du porche, il y avait deux larges fenêtres. On aurait dit deux yeux qui nous regardaient.

– Depuis combien de temps habitez-vous dans votre maison ? demanda monsieur Andrew.

Papa réfléchit une seconde et répondit :

– Environ quatorze ans. Les enfants y ont toujours vécu.

– C'est forcément un peu dur de déménager, dit monsieur Andrew, en me regardant gentiment. Tu sais, Anna, moi-même je ne suis à Tombstone que depuis quelques mois. Je n'aimais pas beaucoup cet

endroit, au début. Mais maintenant, je ne voudra[...]
vivre nulle part ailleurs !

Il me fit un clin d'œil, et je remarquai qu'il avait une fossette adorable dans la joue quand il souriait.

– Entrons, dit-il. Vous verrez, c'est vraiment charmant à l'intérieur, vous serez étonnés.

Tout le monde suivit monsieur Andrew, sauf Jimmy qui cria :

– Il y a d'autres enfants, dans le coin ?

C'était plus un défi qu'une question.

Monsieur Andrew fit signe que oui. Pointant le doigt, il dit :

– L'école est là-bas, juste quelques rues plus haut.

– Tu te rends compte, Jimmy, s'écria maman, plus besoin de prendre le bus de bonne heure tous les matins !

– J'aime prendre le bus, moi ! ronchonna Jimmy.

Je voyais bien qu'il ne céderait pas. On avait pourtant promis aux parents de faire un effort et de bien réfléchir à ce déménagement.

Je me demandais ce que mon frère pensait gagner en se comportant de cette façon. Papa avait déjà bien assez de soucis comme ça : on n'avait pas encore réussi à vendre notre ancienne maison. Ça ne me plaisait pas de déménager. Mais je comprenais que c'était une véritable chance d'avoir fait cet héritage. On était tellement à l'étroit dans notre petite maison ! Et quand papa aurait réussi à la vendre, nous n'aurions plus de problèmes d'argent.

Jimmy aurait pu faire un effort !

'un coup, dans la voiture garée devant le
at se mit à aboyer, à geindre et à griffer la
, c'est notre chien, un terrier blanc à tête
bouclée gentil comme tout. D'habitude, quand on
le laisse dans la voiture, il attend notre retour bien
sagement. Mais voilà qu'il gémissait et grattait la
vitre, cherchant désespérément à sortir. Je criai :

– Tais-toi, Pat !

D'habitude, il m'obéit toujours. Mais pas cette fois.
Jimmy s'élança vers la voiture :

– Je vais lui ouvrir.

– Non, attends ! fit papa.

Mais Pat aboyait si fort que Jimmy n'entendit
rien.

Monsieur Andrew intervint :

– Laissez donc votre chien visiter les lieux. Après
tout, ce sera sa maison, à lui aussi !

Deux secondes plus tard, Pat galopait dans l'allée,
faisant voler les feuilles mortes. Il nous fit fête comme
s'il ne nous avait pas vus depuis des semaines. Puis,
brusquement, il se planta devant monsieur Andrew,
grognant et découvrant ses crocs. Je n'avais jamais
vu notre chien se conduire comme ça !

– Pat, la paix ! ordonna maman.

Papa s'excusa :

– Vraiment, je ne comprends pas. D'habitude, il
est très amical.

Monsieur Andrew tapota sa cravate rayée et dit :

– Il a probablement senti quelque chose sur moi
qui lui déplaît. L'odeur d'un autre chien, peut-être.

Monsieur Andrew regardait Pat d'un drôle d'air. Finalement, Jimmy empoigna notre chien par la peau du cou et le souleva pour lui parler nez à nez :

– Tiens-toi tranquille, Pat. Monsieur Andrew est un ami.

Pat poussa un petit gémissement et donna un coup de langue à Jimmy qui le reposa à terre. Il regarda encore monsieur Andrew, puis il se détourna et se mit à trottiner dans la cour en reniflant çà et là.

Monsieur Andrew passa la main dans ses cheveux blonds et décida :

– Entrons !

Il tourna la clé et ouvrit la porte.

Je suivis mes parents à l'intérieur.

– Je reste dehors avec Pat, cria Jimmy depuis l'allée.

Papa faillit protester. Puis il se reprit et répondit froidement :

– Je ne discute plus avec toi, Jimmy. Reste dans la cour si tu veux. Tu peux même y habiter si ça te chante.

Papa était vraiment fâché. Mais Jimmy répéta d'un ton buté :

– Je reste ici avec Pat.

Monsieur Andrew nous suivit dans l'entrée, refermant doucement la porte derrière lui. Il sourit à maman :

– Ça ira, ne vous en faites pas.

Maman soupira :

– Il est têtu comme une mule.

Elle entra dans le salon et ajouta :

– Je suis vraiment désolée pour notre chien. Je ne sais pas ce qui lui a pris.

– Ce n'est rien, dit monsieur Andrew. Admirez plutôt ce salon. Évidemment, il faudra refaire les peintures. Mais c'est une belle pièce, n'est-ce pas ?

Il nous fit tout visiter et je commençai à me sentir très excitée. La maison était vraiment géniale. Il y avait tellement de pièces, tellement de placards ! J'avais déjà choisi ma chambre, une grande chambre au premier étage, avec sa propre salle de bains et un banc de bois à l'ancienne mode devant la fenêtre, où je pourrais m'asseoir pour regarder la rue. J'aurais voulu que Jimmy voie ça. J'étais sûre qu'il aurait changé d'avis tout de suite.

Je n'arrivais pas à croire qu'il puisse y avoir tant de pièces dans une maison. Il y avait même un grenier plein de vieux meubles et de caisses mystérieuses, où j'avais déjà envie de fouiller.

L'exploration de la maison dura une demi-heure environ. Je crois qu'on était ravis, tous les trois. Monsieur Andrew regarda sa montre :

– Bon, eh bien, je vous ai tout montré, dit-il en se dirigeant vers la porte.

J'étais tellement enthousiasmée que je suppliai :

– Juste une minute, je voudrais jeter encore un coup d'œil à ma chambre !

Je remontai les escaliers quatre à quatre tandis que maman m'appelait d'en bas :

– Anna, dépêche-toi, ma chérie. Monsieur Andrew a sûrement d'autres rendez-vous !

J'atteignis le palier, traversai en courant l'étroit couloir et ouvris la porte. Je dis à haute voix :

– Ma chambre à moi !

Et les mots résonnèrent doucement contre les murs vides.

Ma chambre était si grande ! Et comme j'aimais ce banc de bois devant la fenêtre ! J'allai m'y asseoir pour regarder dehors.

À travers le feuillage des arbres, j'aperçus notre voiture, devant le portail et, de l'autre côté de la rue, une maison qui ressemblait à la nôtre :

« Je mettrai mon lit contre le mur, en face de la fenêtre, et mon bureau de ce côté-là, pensai-je. J'ai assez de place pour avoir un ordinateur, maintenant ! »

Je regardai encore mon placard, un grand placard avec une lampe au plafond, garni d'étagères vides, puis je me dirigeai vers la porte en imaginant déjà mes posters sur les murs.

C'est alors que je vis le garçon.

Il resta dans l'encadrement de la porte une seconde à peine, puis il disparut dans le couloir. Je crus d'abord que c'était mon frère. Puis je remarquai soudain que ça ne pouvait pas être Jimmy. Ce garçon avait des cheveux blonds. Sous le coup de la surprise, je balbutiai :

– Hé ! Qui est là ?

Et je me précipitai hors de ma chambre.

Le couloir était vide. Les autres portes étaient fermées.

– Dis donc, Anna, tu as des visions maintenant ? marmonnai-je.

Papa et maman m'appelaient. Je jetai un dernier regard sur le couloir sombre, puis je descendis à toute vitesse.

Arrivée en bas des escaliers, je demandai :

– Dites, monsieur Andrew, est-ce que cette maison est hantée ?

Il eut un drôle de petit rire :

– Non, désolé, Anna. Le fantôme n'est pas compris dans l'héritage.

Il fixait sur moi ses yeux si bleus avec ses petites rides au coin.

– Je… j'ai pourtant cru voir… quelque chose.

Je me sentis soudain parfaitement ridicule.

En m'ébouriffant les cheveux maman me dit :

– Tu as vu bouger une ombre. Avec tous ces arbres, la maison en est remplie.

– Va donc raconter la visite à ton frère, proposa papa en remettant une fois de plus son pan de chemise dans son pantalon. Ta mère et moi, nous avons à discuter avec monsieur Andrew.

– Oui, Majesté, dis-je en faisant une petite révérence.

Et je sortis en courant pour raconter à Jimmy tout ce qu'il avait manqué.

Je le cherchai dans toute la cour en criant :

– Jimmy ! Où es-tu ?

Mon cœur se mit à battre un peu trop fort : Jimmy et Pat avaient disparu.

J'appelai Jimmy, j'appelai Pat. Mais aucun des deux ne répondit. Je m'avançai jusqu'au portail et regardai dans la voiture.

Personne.

Papa et maman étaient toujours dans la maison, discutant avec monsieur Andrew. Je scrutai la rue. Personne non plus. J'appelai encore une fois :

– Jimmy ! Hé ! Jimmy !

Au même moment papa et maman sortirent, l'air inquiet. Ils m'avaient entendu crier. Me tournant vers eux, je leur lançai :

– Je ne trouve pas Jimmy, ni Pat !

– Ils ne peuvent pas être loin, me répondit papa.

Je remontai la rue en courant, faisant voler les feuilles mortes.

Il faisait bon au soleil. Mais quand je revins dans l'ombre de notre cour, le froid me saisit à nouveau. Je criai encore :

– Jimmy, Pat, où êtes-vous ?

Pourquoi avais-je peur comme ça ? Jimmy était sans doute parti faire un tour, tout simplement. Il adorait se promener avec Pat.

Je contournai la maison. Les arbres étaient si hauts, si touffus de ce côté qu'il y faisait presque noir. Le jardin de derrière semblait bien plus grand que je ne l'avais imaginé. C'était un long rectangle descendant en pente douce jusqu'à une barrière de bois, envahi d'herbes folles qui pointaient de partout entre les feuilles mortes. Une ancienne fontaine de pierre gisait sur le flanc. De l'autre côté, j'apercevais le garage, un sombre bâtiment de brique dans le même style que la maison.

– Jimmy ! Hé ! Jimmy ! Pat !

Ils n'étaient pas là non plus. Je cherchai des traces de pas, quelque chose qui aurait marqué leur passage dans les grandes herbes.

– Alors ?

Papa, tout essoufflé, venait de me rejoindre.

– Ils ne sont pas venus là, dis-je, étonnée de me sentir presque angoissée.

Papa, lui, avait l'air furieux. Il grommela :

– Tu sais comment est ton frère quand il fait sa mauvaise tête.

Maman nous attendait devant la maison.

– Vous les avez retrouvés ? cria-t-elle.

Papa secoua la tête. Puis il haussa les épaules :

– Jimmy s'est peut-être fait un copain et il se balade dans le coin.

Mais à la façon dont il triturait ses narines, je devinai qu'il commençait à être inquiet, lui aussi.

– Il ne connaît pas la ville, il s'est probablement égaré, dit maman. Il faut le retrouver tout de suite.

Monsieur Andrew ferma la porte d'entrée et mit les clés dans sa poche.

Souriant à maman d'un air rassurant, il affirma :

– Il n'est sûrement pas bien loin. Prenons ma voiture, on va faire le tour du quartier. Je suis sûr qu'on va le retrouver.

– Ce gosse, gronda maman entre ses dents, je vais l'étriper !

Monsieur Andrew ouvrit le coffre de sa petite Honda. Il y fourra son blazer et en sortit un large chapeau de feutre noir, qu'il mit sur sa tête.

– Ça, c'est un chapeau ! siffla papa en s'installant à l'avant.

– Ça protège bien du soleil, dit monsieur Andrew.

Il se glissa derrière le volant et claqua la portière.

Je m'installai à l'arrière avec maman. En lui jetant un coup d'œil je vis qu'elle était aussi mal à l'aise que moi.

La voiture remontait lentement la rue. Nous ne disions mot, regardant de tous nos yeux. Toutes les maisons avaient l'air anciennes. La plupart étaient encore plus grandes que la nôtre, mais beaucoup mieux entretenues, et les pelouses étaient fraîchement tondues.

Il n'y avait personne dans les jardins ni dans la rue. Bien sûr, nous étions en vacances et beaucoup de gens avaient sans doute quitté la ville. Mais c'était un endroit calme, trop calme. Et très ombragé. Toutes les maisons, entourées d'arbres énormes et touffus, restaient dans l'ombre. La rue était le seul endroit ensoleillé, étroit ruban doré entre leurs masses obscures.

« Cette ville est sombre et silencieuse, comme une tombe, me dis-je. C'est peut-être pour ça qu'on l'appelle Tombstone. »

– Mais où peut bien être passé ce gosse, grogna papa qui scrutait la rue à travers le pare-brise.

Maman marmonna :

– Je vais le tuer ! le tuer !

C'était bien la première fois que je l'entendais dire une chose pareille.

La voiture fit deux fois le tour du quartier sans que nous trouvions trace de mon frère ni du chien. Monsieur Andrew suggéra d'aller voir un peu plus loin et papa acquiesça aussitôt. Monsieur Andrew prit un tournant en disant :

– J'espère que je ne vais pas me perdre. Je suis ici depuis peu de temps.

Il désigna un haut bâtiment de brique :

– Tenez, voilà l'école.

C'était vraiment une vieille école. J'avais du mal à l'imaginer pleine d'élèves courant, riant, poussant des cris. Elle semblait si vide, si abandonnée. Monsieur Andrew ajouta :

– Évidemment, elle est fermée en ce moment. Les enfants sont en vacances.

– Jimmy aurait-il vraiment pu marcher jusqu'ici ? demanda maman.

Sa voix était plus pointue que d'habitude.

Papa soupira d'un air excédé :

– Jimmy ne marche pas, il court !

– Nous le retrouverons, dit monsieur Andrew d'une voix confiante.

Mais je remarquai qu'il tapotait nerveusement son volant.

La voiture s'engagea dans un autre quartier, aussi ombragé que le nôtre. Un immense panneau indiquait :

ROUTE DU CIMETIÈRE.

En effet, peu de temps après le cimetière apparut. Ses tombes de granit s'alignaient le long d'une colline en pente douce. Des buissons poussaient çà et là, mais il n'y avait presque pas d'arbres. Et comme nous longions le cimetière, je réalisai soudain que c'était là le seul endroit ensoleillé de la ville.

Monsieur Andrew arrêta brusquement la voiture.

– Voilà votre fils, cria-t-il en pointant le doigt.

Maman s'exclama :

– Oui, je le vois !

C'était bien lui. Jimmy courait comme un fou entre les rangées de pierres tombales. J'ouvris la portière, me demandant ce qu'il pouvait bien faire là.

Je descendis de voiture et m'élançai dans l'allée en l'appelant.

D'abord, Jimmy n'eut pas l'air de m'entendre. Il galopait de droite et de gauche entre les tombes, faisant de brusques écarts, prenant une direction, puis repartant soudain en sens inverse.

Pourquoi courait-il comme ça ? J'avançai de quelques pas, puis m'arrêtai, brusquement saisie d'effroi. Je venais de comprendre pourquoi mon frère courait dans tous les sens, entre les tombes : quelqu'un le poursuivait.

Quelqu'un ou quelque chose.

Je fis quelques pas vers Jimmy. Je le voyais se baisser, se relever, bondir d'un côté, puis de l'autre. Alors je compris mon erreur : Jimmy n'était pas poursuivi. C'était lui qui poursuivait.

Il poursuivait Pat. Mon imagination m'avait encore joué un tour. Il faut dire qu'une vision pareille, au milieu d'un cimetière, même en plein jour, ça pouvait donner de drôles d'idées. J'appelai Jimmy. Cette fois il m'entendit et se retourna. Il était visiblement affolé.

– Anna, viens m'aider ! cria-t-il.

– Qu'est-ce qui se passe ?

Je m'élançai pour le rejoindre, mais il avait déjà repris sa course entre les tombes :

– Aide-moi, répéta-t-il.

– Qu'est-ce qui ne va pas, Jimmy ?

Je me retournai et vis que papa et maman étaient sur mes talons.

Jimmy expliqua, hors d'haleine :

– C'est Pat. Je n'arrive pas à le rattraper !

Papa se mit à appeler notre chien :

– Pat ! Ici, Pat !

Mais celui-ci continuait de trotter entre les tombes, reniflant chacune d'elles, puis courant à la suivante.

– Pourquoi es-tu parti si loin ? demanda papa en rejoignant mon frère.

– Je suivais Pat ! C'est lui qui m'a entraîné jusqu'ici. Il était en train de renifler les vieux massifs dans la cour. Et, tout à coup, il est parti au galop. Je l'ai appelé, mais il ne voulait pas s'arrêter. Il n'a même pas tourné la tête. Il a galopé tout droit jusqu'ici. Alors je l'ai suivi. J'avais peur de le perdre.

Jimmy eut l'air bien soulagé de voir papa reprendre la poursuite à sa place. Il n'en pouvait plus. Il me dit :

– Je me demande ce qui a pu lui passer par la tête !

Finalement, papa réussit à coincer Pat et le ramena dans ses bras. Après quelques jappements de protestation, notre chien se laissa emporter jusqu'à la voiture.

– Vous feriez mieux de le tenir en laisse, conseilla monsieur Andrew.

Jimmy qui s'installait sur la banquette arrière protesta vivement :

– Pat n'a jamais été tenu en laisse !

– Il faudra peut-être essayer, au moins pendant quelque temps, s'il lui prend encore la fantaisie de se sauver comme ça, soupira papa.

Il jeta Pat à l'arrière et le chien vint se blottir dans les bras de Jimmy. Tout le monde s'entassa dans la voiture puis monsieur Andrew nous ramena.

Je me demandais pourquoi Pat s'était échappé. Jamais il n'avait fait une chose pareille. C'était sans doute ce déménagement qui le rendait nerveux. Il avait passé toute sa vie dans notre ancienne maison, tout comme nous. Et voilà qu'il fallait la quitter pour ne plus jamais y revenir. Les chiens sentent sûrement ces choses-là. La nouvelle maison, les nouvelles odeurs, les nouvelles rues, ça l'avait rendu fou, le pauvre toutou ! Jimmy avait tout de suite détesté cet endroit, au point de vouloir repartir immédiatement. Pat avait peut-être ressenti la même chose ?

Monsieur Andrew nous laissa devant la maison. Il serra la main de papa et lui donna sa carte :

— Je m'occupe des formalités. Revenez la semaine prochaine pour signer les papiers. Après quoi, vous pourrez vous installer quand vous voudrez.

Maman lut par-dessus l'épaule de papa le nom inscrit sur la carte : Monsieur Joslin Andrew.

— Joslin ? C'est un prénom inhabituel ! Est-ce une tradition familiale ?

Monsieur Andrew secoua la tête :

— Pas du tout. Je suis le seul Joslin de la famille. Mes parents ont sans doute trouvé ça plus original que John ou Peter !

Il rit, abaissa son chapeau sur ses yeux et remonta dans sa voiture.

Toute la famille prit le chemin du retour.

— Voilà une journée riche en aventures, n'est-ce pas, Jimmy ? remarqua maman.

— On dirait, grogna Jimmy.

Pat s'était endormi sur ses genoux et ronflotait tranquillement.

Je dis à mon frère :

– Tu vas adorer ta nouvelle chambre, Jimmy. Cette maison est vraiment super, tu sais !

Il me jeta un coup d'œil pensif sans répondre. Je lui lançai un coup de coude dans les côtes :

– Hé ! tu as entendu ce que j'ai dit ?

Mais mon frère semblait perdu dans une profonde réflexion.

Les deux semaines suivantes passèrent trop vite. Je parcourais notre petite maison et je pensais que plus jamais je ne dormirais dans cette chambre, plus jamais je ne prendrais le petit déjeuner dans cette cuisine, plus jamais je ne regarderais la télé dans ce living. C'étaient de drôles de pensées.

Et puis les déménageurs arrivèrent, avec des tas de cartons. C'était donc bien vrai, nous partions.

Bien qu'on soit au milieu de l'après-midi, je courus dans ma chambre et je me jetai sur mon lit. Pendant plus d'une heure je fixai le plafond. D'étranges images me traversaient la tête, comme dans un rêve, pourtant je ne dormais pas.

Je n'étais pas la seule à ne pas me sentir dans mon état normal.

Depuis deux semaines, papa et maman n'arrêtaient pas de se chamailler à propos de tout et de rien. Un matin, ils avaient même failli se battre pour une histoire de pain trop grillé. Dans un sens, c'était plutôt amusant de les voir réagir comme des gosses.

Jimmy, lui, ne disait plus un mot. Quant à Pat, on aurait dit qu'il boudait. Il ne se dérangeait même plus quand je l'appelais pour lui donner les restes de mon repas.

Le plus difficile fut de dire au revoir à mes amies. Carole et Léa étaient parties camper et je leur écrivis une longue lettre. Mais Charlotte était encore là. Elle était ma plus ancienne et ma meilleure amie. Nous nous connaissions depuis l'école maternelle. C'était vraiment dur de la quitter.

Elle vint me voir la veille de notre départ et nous nous sentions toutes gênées l'une et l'autre.

– T'en fais pas, Charlotte. Après tout, c'est moi qui pars, pas toi ! lui dis-je.

Elle répondit en mâchant son chewing-gum avec encore plus de conviction que d'habitude :

– Je sais bien, tu ne pars pas pour la Chine ! Tombstone n'est qu'à quatre heures de voiture, on pourra se voir souvent.

– Bien sûr, on se verra souvent !

Mais je savais bien que ce n'était pas vrai. Partir à quatre heures de voiture, c'est comme partir en Chine. J'ajoutai :

– Et puis on se téléphonera.

Charlotte fit éclater une grosse bulle verte et répondit avec enthousiasme :

– Bien sûr, on se téléphonera ! Tu as de la chance, tu sais, de quitter ce patelin pourri.

– Ce n'est pas un patelin pourri, ici ! répliquai-je vivement.

Je ne sais pourquoi j'avais dit ça. D'habitude, avec Charlotte, l'un de nos passe-temps favoris était d'imaginer tous les autres endroits où on aurait pré-féré vivre.

Elle marmonna :

– À l'école, ce ne sera plus pareil, sans toi. Qui va me souffler les réponses en maths maintenant ?

– Je te soufflais toujours la mauvaise réponse !

– C'est l'intention qui compte, soupira-t-elle. À quoi elle ressemble, ta nouvelle école ?

Je fis la grimace :

– L'école primaire et le collège sont dans le même bâtiment. C'est une toute petite ville, tu sais.

– C'est moche.

Moche était le mot exact.

Je bavardai avec Charlotte si longtemps que sa mère finit par téléphoner pour lui dire qu'il était temps de rentrer.

Je m'étais promis de ne pas pleurer, pourtant je sentais de grosses larmes sortir toutes seules au coin de mes yeux et rouler sur mes joues. Charlotte était ma meilleure amie et j'avais trop de chagrin. Je n'y pouvait rien.

Je lui jurai de toujours fêter ensemble nos anni-versaires, quoi qu'il arrive. Elle m'embrassa en disant :

– T'en fais pas, on se verra souvent.

Mais elle avait les yeux pleins de larmes, elle aussi. Elle courut très vite vers la porte et la claqua derrière elle.

Je restai là, sans bouger, regardant droit devant moi, jusqu'à ce que Pat vienne me lécher la main, dressé sur son derrière, son petit bout de queue frappant le plancher en cadence.

Le lendemain, c'était le jour du déménagement, un samedi. Il pleuvait. Pas un déluge, pas un orage de fin du monde avec tonnerre et éclairs, non. Juste une triste petite pluie rabattue par le vent qui rendait le voyage encore plus long et déprimant.

Comme nous approchions de Tombstone, le ciel s'obscurcit encore. Les grands arbres s'agitaient de chaque côté de la route. Maman dit à mon père :

– Roule moins vite, Jack. La chaussée est glissante. Mais papa voulait arriver avant le camion de déménagement.

– Si nous ne sommes pas là, déclara-t-il, les déménageurs vont poser les cartons n'importe où.

Jimmy, assis à côté de moi à l'arrière, inventait tout ce qu'il pouvait pour être désagréable. Il n'arrêtait pas de se plaindre. Il avait soif. Après quoi il avait faim. Mais comme on avait pris un copieux petit déjeuner juste avant le départ, les parents faisaient ceux qui n'entendaient rien.

En fait, mon frère avait besoin qu'on s'occupe de lui. J'essayai de lui décrire la maison, le beau salon, les grandes chambres, le mystérieux grenier. Mais il ne m'écoutait pas. Il se mit à chahuter avec Pat jusqu'à ce que papa lui crie de se tenir tranquille. Maman suggéra :

– Si on essayait de ne pas s'énerver les uns les autres, hein ?

– Ça, c'est une merveilleuse idée, chérie, dit papa d'un petit ton ironique.

– Cesse de te payer ma tête, rétorqua maman.

Et une vive discussion s'éleva pour déterminer lequel des deux était le plus fatigué par les préparatifs du déménagement.

Pat se dressa sur ses pattes de derrière et se mit à aboyer.

– Faites taire ce chien ! hurla maman.

Je tentai de le calmer. Mais il se débattait et aboyait de plus belle. Jimmy crut bon de l'imiter et se mit à hurler lui aussi.

Maman lui jeta un regard noir. À ce moment, les pneus crissèrent sur le gravier. Papa venait d'arrêter la voiture devant le portail de notre nouvelle maison. La pluie tambourinait sur le toit. Papa regarda sa montre et dit :

– Enfin, nous arrivons avant les déménageurs. J'espère qu'ils ne se sont pas perdus !

Jimmy gémit :

– Il fait noir comme en pleine nuit, ici !

Pat bondissait sur la banquette en jappant. Il voulait sortir de la voiture. J'ouvris la portière. Il sauta dans l'allée détrempée et se mit à galoper en zigzag dans la cour. Jimmy ricana :

– En voilà au moins un qui est content d'être arrivé !

Papa courut jusqu'à la porte et fourragea dans la serrure, puis il nous fit signe d'entrer. Maman et

Jimmy s'élancèrent vers le porche, courbés en deux sous la pluie tandis que je fermai la portière et m'apprêtai à les rejoindre. Mais quelque chose attira mon regard. Je levai les yeux vers les deux grandes fenêtres au-dessus du porche.

Alors je le vis.

Il y avait un visage à la fenêtre de gauche. C'était le garçon.

Le garçon blond que j'avais vu à la porte de ma chambre était là-haut. Et il me regardait.

4

– Essuyez bien vos pieds, ordonna maman. Ne laissez pas de traces de boue sur ces beaux planchers propres !

Ça sentait la peinture. Il faisait chaud dans la maison, bien plus chaud qu'à l'extérieur. J'entendis la voix de papa :

– L'ampoule de la cuisine ne marche pas. Les ouvriers ont fermé le compteur ou quoi ?

– Comment veux-tu que je le sache ? lui cria maman. Leurs voix sonnaient étrangement fort dans les pièces vides. Je m'essuyai les pieds sur le paillasson de l'entrée et courus vers le salon :

– Maman, il y a quelqu'un en haut !

Elle était appuyée à la vitre et regardait tomber la pluie. Elle guettait les déménageurs, probablement. Elle tourna la tête en m'entendant entrer :

– Quoi ?

– Il y a un garçon en haut. Je l'ai vu derrière la fenêtre.

J'avais du mal à reprendre mon souffle.

Jimmy entra par la porte du fond et se mit à rire :

– La maison est déjà habitée ?

Maman nous regarda l'un après l'autre d'un air exaspéré :

– Vous allez vous calmer un peu, vous deux !

– J'ai rien fait, moi ! grogna Jimmy.

– Écoute, Anna, reprit maman, on est tous à bout de nerfs, aujourd'hui et…

– Mais je l'ai vu, Maman ! Derrière la vitre ! Je ne suis pas folle !

– Ça, faut voir, ricana Jimmy.

Maman mordit sa lèvre inférieure, ce qui chez elle est toujours signe d'énervement :

– Anna, tu as vu un reflet ou quelque chose comme ça. Les feuilles des arbres, probablement.

Et elle se tourna de nouveau vers la fenêtre.

Dehors, la pluie tombait en rafales et le vent la rabattait bruyamment contre les vitres. Je courus vers l'escalier, je mis mes mains en porte-voix et lançai :

– Il y a quelqu'un, là-haut ?

Pas de réponse. Du salon, maman cria :

– Anna, s'il te plaît !

Jimmy avait disparu. Il avait fini par se décider à explorer la maison.

Je répétai :

– Il y a quelqu'un, là-haut ?

Et sans réfléchir, je m'élançai dans l'escalier.

Mes baskets résonnaient sourdement sur les marches de bois.

J'entendis maman appeler :

– Anna !

Mais j'étais trop en colère pour m'arrêter. Pourquoi ne voulait-elle pas me croire ? Pourquoi inventait-elle cette histoire de reflet au lieu de m'écouter ? Je voulais savoir qui était là-haut. Je voulais prouver à maman que ce n'était pas un simple reflet. Je peux être têtue, moi aussi, quand je veux. Ça doit être un trait de famille.

Les escaliers grinçaient et craquaient, mais je n'avais pas peur du tout. Jusqu'au moment où j'atteignis le palier. Alors seulement je ressentis une bizarre crispation au milieu du ventre. Je m'appuyai à la rampe, reprenant mon souffle. Qui cela pouvait-il être ? Un cambrioleur ? Un gamin du voisinage qui s'ennuyait et s'amusait à visiter une maison vide ? Je pris soudain conscience que j'étais là, toute seule, et que ce garçon était peut-être dangereux. Je criai de nouveau :

– Il y a quelqu'un ?

Je sentis ma voix trembler. Immobile, cramponnée à la rampe, je tendis l'oreille. Et je perçus un bruit de course rapide dans le couloir.

Non. Non, ce n'était pas un bruit de course. C'était la pluie, tout simplement, le petit galop de la pluie sur le toit d'ardoises. Ce bruit familier me rassura un peu. Je lâchai la rampe et avançai prudemment dans l'étroit couloir. Il faisait très sombre. Seule une vague lueur grise coulait de la lucarne. Le vieux plancher de bois gémissait sous mes pas. Je répétai :

– Il y a quelqu'un ?

Toujours pas de réponse. J'approchai de la première porte sur ma gauche. Elle était fermée. L'odeur de peinture était presque suffocante. Je trouvai un interrupteur sur le mur. « Sans doute la lumière du couloir », pensai-je. J'appuyai dessus, mais rien ne s'alluma.

– Il y a quelqu'un ?

Ma main tremblait quand je la posai sur la poignée de la porte.

Elle était tiède. Je la tournai et, prenant une profonde inspiration, je poussai violemment le battant.

Une pénombre grisâtre emplissait la chambre. Un éclair jaillit brusquement et me fit sursauter. Le grondement lointain du tonnerre retentit presque aussitôt. Lentement, prudemment, je fis un pas en avant, puis un autre. Il n'y avait personne.

Le ciel s'obscurcit encore et un deuxième éclair illumina la pièce vide. Je retournai dans le couloir. La chambre voisine était celle que j'avais choisie pour moi. Elle aussi avait une large fenêtre donnant sur la façade. Le garçon que j'avais vu était-il dans ma chambre ?

J'avançai jusque-là, laissant ma main glisser sur le mur sans trop savoir pourquoi. Ma porte était fermée, elle aussi.

Retenant mon souffle, je frappai :

– Il y a quelqu'un ?

Pas de réponse.

Le fracas du tonnerre éclata, tout près, cette fois. Je m'immobilisai, comme paralysée. Il faisait si chaud ici, chaud et moite. Et cette odeur de peinture me tournait le cœur. Je posai la main sur la poignée de ma porte :

– Il y a quelqu'un ?

Je tournais la poignée quand le garçon surgit derrière moi et me prit par l'épaule.

Je crus que mon cœur s'arrêtait. Faisant sur moi-même un effort désespéré, je me retournai.

– Jimmy ! Tu m'as flanqué une de ces trouilles !

Jimmy éclata de rire, et son rire rebondit en écho jusqu'au fond du grand couloir vide. Mon cœur battait à tout rompre maintenant et les tempes me faisaient mal. J'empoignai mon crétin de frère et le poussai contre le mur, furieusement :

– Ce n'est pas drôle ! Tu m'as fait vraiment très peur !

Il rit encore et m'échappa en se laissant rouler sur le plancher.

J'allais me jeter sur lui quand je vis la porte de ma chambre s'entrouvrir tout doucement.

Brusquement paralysée, je fixai cette porte qui bougeait toute seule. Jimmy cessa de rire et sauta sur ses pieds, ses yeux bruns soudain élargis de peur.

Quelqu'un marchait dans ma chambre. J'entendais des chuchotements, une espèce de petit rire.

Je balbutiai :

– Qui… qui est là ?

La porte grinça, s'ouvrit un peu plus, puis commença à se refermer.

– Qui est là ? répétai-je d'une voix un peu plus assurée.

De nouveau j'entendis un chuchotement, un bruit de pas.

Jimmy s'était appuyé contre le mur et il reculait lentement vers l'escalier. Je n'avais jamais vu une telle expression de peur sur son visage. La porte, grinçant comme dans les films d'épouvante, continuait de se refermer. Jimmy avait presque atteint les marches. Il me regardait et, sans dire un mot, me faisait signe de le suivre. Mais au lieu de cela, je fis un pas en avant, saisis la poignée et ouvris la porte en grand. Debout dans l'encadrement, je répétai :

– Qui est là ?

La pièce était vide.

Le tonnerre roula de nouveau. Et soudain, je compris. La fenêtre de la chambre était entrouverte, et c'était simplement un courant d'air qui ouvrait et refermait la porte. Les bruits de pas, les chuchotements, les petits rires, ce n'était que le murmure du vent et les petits craquements de la fenêtre.

J'entendis Jimmy appeler dans le couloir :

– Anna ? Anna, ça va ?

J'allais lui répondre que tout allait bien quand il me vint une meilleure idée. Jimmy venait de me faire une peur de tous les diables. J'allais lui rendre la monnaie de sa pièce. Je ne répondis pas. Ses pas timides se rapprochaient :

– Anna ? Ça va ?

J'entrouvris la porte de mon placard et m'allongeai à l'intérieur, ne laissant dépasser que mes jambes. Jimmy appela encore à mi-voix :

– Anna ?

À sa voix, je compris qu'il était à moitié mort de peur. Je poussai alors une plainte sourde :

– Ohhhhhh !

Je l'entendais approcher. Dans une seconde, il me verrait là, par terre, à demi cachée par la porte du placard, dans cette pièce sombre éclairée seulement par la lueur blême des éclairs.

Le tonnerre roula au-dehors et le vent secoua la vieille fenêtre.

Cette fois, Jimmy se mit à chuchoter :

– Anna ?

Puis je compris qu'il m'avait vue parce qu'il fit un drôle de bruit de gorge. Après quoi il poussa un hurlement et je l'entendis dégringoler les escaliers en hurlant :

– Papa ! Maman !

Je fus prise de fou rire. Mais avant que j'aie pu me relever une langue chaude vint me lécher la figure :

– Pat !

Il me léchait les joues, les paupières, le nez avec frénésie, comme pour me rappeler à la vie, comme pour me dire que tout allait bien.

Je riais, je criais :

– Arrête, Pat !

Je serrai mon petit chien dans mes bras, caressant sa douce fourrure :

– Arrête, Pat, je vais être toute collante !

Mais il ne voulait pas arrêter. Il était comme fou. Il avait les nerfs à vif, lui aussi, le pauvre chien !

Je me relevai et réussis à le poser à terre :

– Ça suffit, Pat ! Sois sage ! Il n'y a pas de raison de s'inquiéter. On va bien s'amuser, dans cette nouvelle maison, tu vas voir !

Ce soir-là, je souriais toute seule en me glissant sous ma couette. Je me rappelais la terreur de Jimmy, l'après-midi, sa tête ahurie quand il m'avait vue redescendre l'escalier parfaitement saine et sauve, sa colère quand il avait compris que je m'étais moquée de lui.

Évidemment, papa et maman n'avaient pas trouvé ça drôle. Ils étaient énervés, l'un et l'autre, parce que les déménageurs venaient seulement d'arriver, avec une heure de retard. Ils nous firent promettre de ne plus nous faire peur comme ça.

– De toute façon, elle me donne la chair de poule, cette vieille baraque, avait grogné Jimmy.

Les déménageurs commencèrent à décharger le camion, en rouspétant après la pluie. Je leur montrai où déposer nos affaires dans les chambres. Nos meubles paraissaient tout petits dans cette immense maison. Papa et maman vidaient les cartons, rangeaient la vaisselle, suspendaient les vêtements, en nous criant de ne pas rester dans leurs jambes. Maman eut même le temps d'accrocher des rideaux à ma fenêtre. Quelle journée !

Il était un peu plus de dix heures maintenant, et je me tournais et me retournais dans mon lit, essayant de m'endormir pour la première fois dans ma nouvelle chambre.

J'étais dans mon ancien lit, et pourtant je n'arrivais pas à me sentir bien. Tout était trop différent. Le lit n'était pas dans le même sens. Je n'avais pas encore eu le temps d'accrocher mes posters et les murs étaient trop nus, la pièce trop grande, trop vide. Les ombres y semblaient plus noires.

Mon dos me démangeait. Je m'imaginai soudain que mon lit grouillait de punaises. Je m'assis brusquement.

C'était idiot, bien sûr. J'étais dans mon bon vieux lit, garni d'une couette toute propre. Je me forçai à m'allonger et à fermer les yeux. Quelquefois, quand je n'arrive pas à m'endormir, je me mets à compter deux par deux. Ça m'oblige à ne plus penser à rien. J'ai essayé. J'ai enfoncé mon visage dans l'oreiller, imaginant la liste des chiffres se dérouler devant moi : 2 - 4 - 6 - 8...

Mais à 220, de drôles de pensées tournaient toujours dans ma tête : « Jamais je ne pourrai dormir dans cette chambre, me disais-je. Je suis éveillée pour toujours... »

Je finis tout de même par m'assoupir. Soudain quelque chose me réveilla.

Je m'assis, toute droite, soudain prise de peur. Il faisait chaud, dans ma chambre, et pourtant j'étais glacée. Je vis que j'avais complètement repoussé ma couette. Je me penchai pour la rattraper, et m'immobilisai. C'est alors que j'entendis des chuchotements. Il y avait quelqu'un dans ma chambre.

Je murmurai moi aussi, d'une petite voix apeurée :
– Qui… qui est là ?

Pas de réponse ! J'attrapai ma couette et la tirai jusqu'au menton.

Peu à peu, mes yeux s'habituaient à l'obscurité. Mes rideaux, mes vrais rideaux à moi que maman avait accrochés l'après-midi, voletaient devant la fenêtre. C'était donc ça ! Ces chuchotements qui m'avaient réveillée, ce n'était que le froissement des rideaux. Dans la pâle lumière grisâtre qui traversait la vitre, leur ombre mouvante s'étirait jusqu'à mon lit.

Je bâillai et sautai du lit pour aller refermer la fenêtre. Le froid du plancher sous mes pieds me fit frissonner. Comme j'approchais, les rideaux cessèrent soudain de flotter et retombèrent en place, immobiles. Je les tirai de côté. Alors j'étouffai un cri : la fenêtre était fermée.

Qu'est-ce qui faisait bouger mes rideaux, si la fenêtre était fermée ? Je restai là, debout, immobile. Il n'y avait pas un souffle d'air. Avais-je vraiment vu ces rideaux bouger, ou bien était-ce encore un tour de mon imagination ?

Je courus jusqu'à mon lit, traversant les ombres inconnues de ma nouvelle chambre et je tirai la couette sur moi en me disant sévèrement : « Anna, cesse de te monter la tête ! »

Quelques minutes plus tard, je me rendormis et fis le rêve le plus horrible qu'on puisse imaginer.

Jimmy, maman, papa et moi, nous étions morts, tous les quatre.

Nous étions assis autour de la table, dans la nouvelle salle à manger, et nos têtes n'étaient que de larges taches blanches dans l'obscurité. Puis, peu à peu, je distinguais mieux, et je découvrais que sous nos cheveux il n'y avait plus de visage, rien que des crânes verdâtres avec de larges trous noirs à la place des yeux.

Tous les quatre, nous étions assis là, morts, et nous mangions en silence. Dans nos assiettes, il y avait des ossements. Des ossements humains.

Brusquement, au milieu du rêve, notre horrible repas était interrompu par des coups sourds contre la porte, des coups répétés, insistants, de plus en plus violents. C'était Charlotte, mon amie Charlotte. Je la voyais tambouriner de ses deux poings. Je voulais me lever, je voulais lui ouvrir, lui parler, lui expliquer que j'étais morte et que je n'avais plus de visage. Je voulais tellement la prévenir !

Mais je ne pouvais pas quitter la table. J'essayais de me lever, j'essayais de toutes mes forces. Je ne pouvais pas.

Je m'éveillai en sursaut. J'avais encore dans l'oreille le bruit des coups frappés contre la porte et je secouai la tête pour chasser les images de mon rêve.

Le jour se levait. Le ciel était plus clair derrière les rideaux.

– Oh ! non !

Les rideaux bougeaient à nouveau, avec un léger bruissement.

Je m'assis pour mieux voir.

La fenêtre était toujours fermée.

7

– Je vais jeter un coup d'œil à cette fenêtre, dit papa au petit déjeuner. Il doit y avoir une fente quelque part.

Et il enfourna une bouchée d'œufs brouillés.

J'insistai :

– Mais c'est tellement bizarre, Papa ! Les rideaux remuaient et je ne sentais aucun courant d'air !

J'avais encore la chair de poule rien que d'y penser.

– Il manque peut-être un carreau, suggéra papa.

– C'est à Anna qu'il manque une case ! lança Jimmy.

Il trouvait visiblement cette réflexion très spirituelle.

– Laisse ta sœur tranquille, intervint maman.

Elle posa son assiette sur la table et se laissa tomber sur sa chaise. Elle avait l'air fatiguée. Ses cheveux noirs, habituellement soigneusement lissés, pendaient n'importe comment.

Elle soupira :

– Je n'ai même pas dormi deux heures cette nuit.

Je soupirai à mon tour :

– Moi non plus. Je n'arrêtais pas de penser que ce garçon voulait encore entrer dans ma chambre.

Maman m'interrompit, visiblement agacée :

– Arrête avec cette histoire, Anna ! Un garçon dans ta chambre, des rideaux qui bougent tout seuls ! Tu es trop énervée et tu te fais des idées, c'est tout.

Jimmy ricana :

– Il y avait peut-être un fantôme caché derrière tes rideaux !

Et levant les mains, il émit un long hululement.

Maman le prit par les épaules :

– Jimmy, vous avez promis de ne plus jouer à vous faire peur, tu te souviens ?

– Il nous faut du temps pour nous habituer à cette maison, dit papa. Tu as peut-être simplement rêvé cette histoire de rideaux, Anna. Tu disais que tu avais fait des cauchemars, cette nuit.

Les images horribles de mon rêve me revinrent brutalement en mémoire et je frissonnai.

– Cet endroit est tellement humide, soupira maman.

– Avec un rayon de soleil, tout ira mieux, assura papa.

Je jetai un coup d'œil vers la fenêtre. Le ciel restait obstinément gris. L'obscurité semblait couler des arbres, au-dessus de la cour.

Soudain, je m'inquiétai :

– Où est Pat ?

– Dehors, dans le jardin, répondit maman. Lui aussi, il s'est réveillé tôt. Il ne pouvait plus dormir, je pense. Alors je l'ai laissé sortir.

Jimmy posa sa question rituelle :

– Qu'est-ce qu'on fait, aujourd'hui ?

Il voulait toujours savoir quels étaient les plans pour la journée ; comme ça, il pouvait dire systématiquement qu'il n'était pas d'accord. Maman jeta un regard las autour d'elle :

– Ton père et moi, nous avons encore des tas de cartons à déballer. Allez donc faire un tour, tous les deux, explorer le quartier. Il y a peut-être d'autres enfants de votre âge dans les maisons voisines.

Je répliquai :

– C'est ça ! Vous voulez nous perdre dans la forêt, comme le Petit Poucet, pour être tranquilles !

Papa et maman rirent tous les deux.

– Moi, je veux vous aider à vider les cartons pour retrouver mes affaires, gémit mon frère.

Je savais bien qu'il allait discuter, comme d'habitude. Mais papa ordonna :

– Habillez-vous et allez vous promener. Emmenez Pat et tenez-le en laisse. J'en ai accroché une à la rampe, dans l'entrée.

Jimmy venait d'avoir une autre idée :

– Et nos vélos ? On peut prendre nos vélos ?

– Ils sont au fond du garage, derrière un monceau de cartons, répondit papa. Vous ne pourrez pas les attraper. De toute façon, Jimmy, tu as un pneu crevé.

Jimmy croisa les bras d'un air buté :

– Si je n'ai pas mon vélo, je n'y vais pas.

Papa et maman durent encore discuter, le menacer. Finalement, mon frère accepta de sortir, mais « seulement pour une toute petite balade ».

Je finis mon petit déjeuner en pensant à Charlotte. Je me demandai à quoi ressembleraient les autres enfants, ici, à Tombstone. « Pourrai-je me faire à nouveau de vrais amis ? »

Je décidai de laver la vaisselle pour aider un peu papa et maman qui avaient encore tant de travail. Je ne dois pas être tout à fait normale, j'aime bien laver la vaisselle.

Quelque part dans une autre pièce, Jimmy discutait encore avec papa. Je n'entendais pas très bien ce qu'ils disaient à cause du bruit de l'eau coulant du robinet. Papa expliquait :

– Ton ballon de basket doit être quelque part dans un des cartons.

Jimmy répondit quelque chose et papa répliqua :

– Comment veux-tu que je sache lequel ? Ton ballon de basket ne me paraît pas la chose la plus urgente à retrouver, figure-toi !

Je posai la dernière assiette sur l'égouttoir et cherchai un torchon. Il n'y en avait pas. Ils n'avaient sans doute pas encore été déballés. Essuyant mes mains sur ma chemise de nuit, je montai l'escalier. Jimmy était toujours en train de discuter avec papa. Je lui criai :

– Je suis prête dans cinq minutes !

Je montai les dernières marches et m'arrêtai net.

Sur le palier, il y avait une fille de mon âge avec des cheveux noirs coupés court. Elle me regardait et elle me souriait. Mais ce n'était pas un sourire amical. C'était le plus glacé, le plus effrayant des sourires.

Une main toucha mon bras. Je me retournai. C'était Jimmy.

Il déclara :

– Si je ne retrouve pas mon ballon, je ne sors pas.

– Jimmy, s'il te plaît !

Je regardai de nouveau le palier. La fille avait disparu.

Je me sentais faible, mes jambes tremblaient. Je m'accrochai à la rampe et criai :

– Papa ! Viens vite !

Jimmy fit une sale tête :

– Hé ! je n'ai rien fait !

– Non, ce… ce n'est pas toi.

Et j'appelai encore papa. Cette fois, il répondit :

– Je suis occupé, Anna.

Apparemment, il était au pied de l'escalier, en train de se battre avec des cartons de vaisselle.

– Papa, j'ai vu quelqu'un, là, sur le palier. Une fille. Il me cria d'en bas :

– S'il te plaît, Anna, arrête ce petit jeu, tu veux ! Il n'y a que nous quatre dans cette maison. Et peut-être quelques souris.

– Des souris, tu crois ? demanda Jimmy, subitement intéressé.

– Papa, je l'ai vraiment vue !

Ma voix tremblait. Ça me mettait hors de moi qu'il ne me croie pas.

Il monta quelques marches et pointa son doigt vers le palier.

– Anna, regarde bien là et dis-moi ce que tu vois.

Je regardai. Il y avait une pile de vêtements entassés sur une chaise. Maman venait sans doute de les déposer là.

– Ce sont des vêtements, dit papa. Pas une fille. Rien que des vêtements.

Je murmurai :

– Excuse-moi, je suis désolée.

Mais je ne me sentais pas du tout désolée. J'étais complètement désorientée. Et j'avais peur. Comment aurai-je pu prendre une bête pile de vêtements pour une fille qui souriait ? Ce n'était pas possible. Je n'étais pas folle et j'ai toujours eu une très bonne vue.

Que se passait-il dans cette maison ?

J'ouvris la porte de ma chambre et je vis les rideaux voleter devant la fenêtre. Je pensai : « Oh non ! Ça recommence… »

Je courus vers la fenêtre. Cette fois-ci, elle était ouverte.

Qui l'avait ouverte ? Maman, sûrement.

Un air chaud et humide pénétrait dans la pièce. Le ciel était gris et bas. Ça sentait la pluie. Je me tournai vers mon lit et je sursautai : quelqu'un y avait déposé un jean et un T-shirt sans manches. Ils étaient soigneusement étalés sur la couette. Qui les avait mis là ?

Je courus sur le palier et appelai :

– Maman ? Maman, c'est toi qui as mis des vêtements sur mon lit ?

Elle répondit quelque chose de loin, mais je ne compris pas.

Je tentai de me calmer : « Bon, ça va, Anna, réfléchis. Évidemment que c'est maman qui a posé ces vêtements sur mon lit. Ce ne peut être que maman. »

C'est alors que j'entendis des chuchotements dans mon placard. Des chuchotements et des rires étouffés derrière la porte fermée.

C'était plus que je ne pouvais en supporter. Je hurlai :

– Qu'est-ce qui se passe ici ?

Je me ruai sur la porte du placard et l'ouvris violemment.

Il n'y avait personne dedans. Je pensai : « Des souris ? »

Papa avait sûrement raison. Il y avait des souris.

« Il faut que je m'en aille d'ici, me dis-je. Cette chambre me rend folle. »

Mais non, ce n'était pas la chambre, c'était moi-même qui me montais la tête. C'était moi qui imaginais n'importe quoi. Il y avait une explication logique à tout ça, forcément.

En enfilant mon jean, je me répétais pour me convaincre : « Une explication logique, une explication logique… », au point que les mots finirent par ne plus avoir de sens.

« Calme-toi, Anna, calme-toi. »

J'essayais de respirer régulièrement quand Jimmy surgit devant ma porte en criant :

– BOUH !

– Tu ne m'as pas fait peur, Jimmy, dis-je.

Mais ma voix n'était pas aussi assurée que je l'aurais voulu.

– Sortons vite, dit Jimmy. Cette maison me donne la chair de poule.

– Toi aussi ? Tu as vu quelque chose ?

Il ouvrit la bouche pour répondre, puis se reprit :

– Non, ce n'est rien.

– Dis-moi ! Allez, dis-moi, quoi !

Il regardait ses baskets d'un air embarrassé. Finalement il avoua :

– J'ai fait un sale rêve, cette nuit.

– Un rêve ?

– Ouais. Il y avait deux garçons dans ma chambre et j'avais peur.

– Que faisaient-ils ?

– Je ne m'en souviens pas, murmura Jimmy en évitant mon regard. Je me souviens seulement que j'avais peur.

Je me tournai vers mon miroir pour brosser mes cheveux et demandai :

– Et que s'est-il passé ?

– Rien, je me suis réveillé. Allez viens, on s'en va !

– Est-ce qu'ils ont dit quelque chose ?

– Je ne crois pas, répondit Jimmy, l'air pensif. J'ai seulement entendu un rire.

– Un rire ?

– Oui, une sorte de rire.

Puis il cria soudain :

– Ne parlons plus de ça ! On la fait, cette balade ou quoi ?

Je posai ma brosse et jetai un dernier coup d'œil au miroir :

– Je suis prête. On y va.

Je suivis Jimmy dans le couloir. En passant devant le tas de vêtements posés sur le palier, je me rappelai la fille que j'avais vue là, je pensai au garçon appuyé à la fenêtre quand nous étions arrivés. Et aux deux garçons que Jimmy avait vus en rêve. Je me dis que ce déménagement nous avait vraiment mis la tête à l'envers, à tous les deux. Papa et maman avaient sûrement raison. C'était mon imagination qui battait la campagne.

Qu'est-ce que ça pouvait être d'autre ?

Deux minutes plus tard, nous étions dans le jardin, derrière la maison, appelant Pat. Il nous fit fête, comme toujours, sautant sur nous avec ses pattes pleines de boue, faisant voler les feuilles et jappant joyeusement. Ça me remontait le moral rien que de le regarder.

Il faisait lourd, bien que le ciel fût couvert. Pas un souffle de vent. Les énormes vieux arbres étaient aussi immobiles que des statues. Dans l'allée de gravier, les feuilles mortes craquaient sous nos pas. Pat galopait autour de nous, tantôt en avant, tantôt en arrière.

Jimmy remarqua :

– Au moins, papa ne nous a pas demandé de ratisser les feuilles !

– Sois tranquille, il le fera, dis-je. C'est qu'il n'a pas encore déballé les outils de jardin.

Jimmy fit la grimace. Depuis la rue, je jetai un coup d'œil à notre maison et à ces deux fenêtres, de chaque côté du porche, qui nous regardaient comme des yeux.

La maison voisine de la nôtre avait à peu près la même taille, mais elle était en pierre et non en brique. Les rideaux du rez-de-chaussée étaient soigneusement tirés et à l'étage, les volets étaient clos. Là aussi, d'énormes arbres tenaient la maison dans l'ombre.

– Où va-t-on ? demanda Jimmy, lançant un bâton pour que Pat le rapporte.

Je proposai :

– Allons jusqu'à l'école. C'est par là. On verra mieux à quoi elle ressemble.

La rue montait légèrement. Jimmy ramassa une branche pour s'en faire une canne et Pat, trottinant à côté de lui, s'amusait à la mordiller. Il n'y avait personne, ni dans la rue, ni dans les jardins.

Aucune voiture ne passait. Je commençais à me dire que nous étions les seuls habitants ici, quand un garçon jaillit de derrière une haie, si brusquement qu'il nous fit sursauter. Il esquissa un petit signe timide de la main :

– Salut !

– Salut !

Jimmy et moi avions répondu en même temps. Soudain, avant qu'on ait pu le retenir, Pat bondit vers le garçon, reniflant ses baskets et aboyant furieusement. Le garçon recula et leva les mains comme pour se protéger. Il paraissait terrorisé. Je criai :

– Pat ! Tais-toi !

Jimmy le prit dans ses bras, mais notre chien continuait de grogner.

– N'aie pas peur, dis-je, il ne mord pas. D'habitude, il n'aboie pas non plus. Je ne sais pas ce qu'il lui a pris.

– Ce n'est rien, répondit le garçon, sans cesser de regarder Pat qui se débattait dans les bras de Jimmy. J'ai sans doute une odeur qui ne lui plaît pas.

J'ordonnai d'une voix ferme :

– Pat, ça suffit ! Sinon, c'est la laisse, compris ?

Le garçon était blond, avec des cheveux courts, ondulés et des yeux très pâles. Il avait un drôle de petit nez retroussé qui ne convenait pas vraiment à son visage sérieux. Il portait une chemise marron à manches longues malgré la chaleur, et un jean noir. Une casquette bleue dépassait d'une de ses poches.

Je me présentai :

– Je m'appelle Anna Cork, et voilà mon frère Jimmy.

Jimmy reposa prudemment Pat qui poussa encore quelques jappements avant de s'asseoir sur le trottoir et de se gratter.

– Je m'appelle Éric Welner, dit le garçon, fourrant ses mains dans ses poches et gardant un œil inquiet sur Pat.

Mais comme notre chien ne s'intéressait plus à lui, il se détendit un peu.

Le visage d'Éric me semblait vaguement familier. Où l'avais-je déjà vu ? Je le regardais attentivement, essayant de me souvenir.

Brusquement, je frissonnai. Le garçon qui était dans ma chambre, c'était lui ! C'était le visage d'Éric que j'avais vu derrière la fenêtre ! Je bégayai :

– Dis donc, tu ne serais pas venu chez nous, par hasard ?

Il eut un air ahuri :

– Quoi ?

J'insistai :

– Tu es venu dans ma chambre, non ?

– Dans ta chambre ? Quand ça ?

Et il se mit à rire. Pat leva la tête et gronda. Puis il continua à se gratter avec application. Je commençai à douter de mes souvenirs. Ce n'était sûrement pas le même garçon.

– Il me semblait t'avoir vu, m'excusai-je.

– Je suis allé dans votre maison, dit Éric, sans quitter Pat des yeux. Mais c'était il y a longtemps.

– Il y a longtemps ?

– Oui, répondit-il. J'ai habité cette maison.

Je le regardai avec étonnement :

– Tu as habité dans notre maison ?

Il hocha la tête :

– Oui, au début, quand nous sommes arrivés ici.

Il ramassa un caillou et le lança. Pat se dressa aussitôt, prêt à courir pour le rattraper. Puis il changea d'avis et se rassit sur le trottoir en remuant son petit bout de queue.

Les nuages qui couraient dans le ciel étaient de plus en plus noirs. Je demandai :

– Où habites-tu maintenant ?

– Par là, dit-il, désignant d'un geste vague le haut de la rue.

– Elle te plaisait, notre maison ? voulut savoir Jimmy.

– Ouais, dit Éric. Elle est jolie et bien à l'ombre.

– Quoi, cria Jimmy, elle te plaisait ? Moi, je la trouve vieille et moche, et tellement sombre que…

Pat l'interrompit. Il s'était remis à aboyer contre Éric qui recula prudemment. Jimmy sortit la laisse de sa poche :

– Désolé, mon chien !

Je dus le tenir pour que Jimmy attache la laisse à son collier, sinon, il se serait élancé sur Éric.

– Je ne comprends pas, bredouillai-je. Il ne fait jamais ça, d'habitude.

Pat sembla très surpris de se retrouver en laisse. Il tenta de la mordiller. Puis il tira sur son collier pour entraîner Jimmy. Au moins, il avait cessé d'aboyer.

– Qu'est-ce qu'on fait maintenant ? demanda Jimmy.

Il y eut un petit temps de silence. Regardant Éric, mon frère suggéra :

– On pourrait aller chez toi ?

Éric secoua la tête :

– Non. Enfin, je veux dire, pas maintenant.

Je parcourus du regard la rue vide :

– Il n'y a donc personne, ici ? On dirait une ville morte.

Éric eut un petit rire :

– Ouais, on peut dire ça. Si on allait au terrain de sport, derrière l'école ?

– D'accord.

Notre petit groupe se mit en route, Éric ouvrant la marche. Jimmy tenait sa canne d'une main et la laisse de l'autre ; il avait beaucoup de mal à retenir Pat.

C'est alors qu'une dizaine de garçons et quelques filles apparurent au tournant d'une rue. Ils riaient et chahutaient. La plupart avaient à peu près notre âge, quelques-uns paraissaient plus vieux. Ils étaient tous en jean et en T-shirts foncés, sauf une des filles, une blonde avec de longs cheveux raides, qui portait un caleçon vert moulant.

– Eh ! regardez ! cria un grand gars aux cheveux noirs soigneusement plaqués en nous désignant du doigt.

Ils cessèrent de parler et de chahuter et s'avancèrent vers nous. Je remarquai que certains pouffaient discrètement. Pat se mit à tirer sur sa laisse et à aboyer furieusement. Le grand gars aux cheveux noirs sourit et lança :

– Salut !

Les autres se mirent à rire, comme s'il avait dit quelque chose de particulièrement drôle. La fille au caleçon vert poussa violemment dans le dos un garçon roux qui tomba presque sur moi. Une autre fille, brune avec les cheveux coupés court, sourit à Éric et demanda :

– Ça va ?

– Oui, ça va, dit Éric. Et se tournant vers nous, il expliqua :

– Voilà mes amis. On habite tous dans le même coin.

– Salut, lançai-je, pas très à l'aise.

J'aurais voulu que Pat cesse de sauter et d'aboyer comme ça. Jimmy avait beaucoup de mal à le retenir.

Éric désigna le garçon roux :

– Voilà Victor Lamy.

Puis il fit le tour du cercle, nommant chacun :

– Vincent Rodier, Karen Simon, Lucas Reberg… J'essayais de me rappeler tous les noms, mais, bien sûr, c'était impossible. Une des filles demanda :

– Ça vous plaît, Tombstone ?

– Je ne sais pas encore, répondis-je. C'est notre premier jour ici.

Cette réponse les fit tous rire, je me demandai bien pourquoi.

– Qu'est-ce que c'est comme chien ? demanda Victor Lamy.

– Un terrier blanc, répondit Jimmy tenant la laisse aussi solidement qu'il pouvait.

Victor observait Pat avec une grande attention, à croire qu'il n'avait encore jamais vu de chien.

Karen Simon, une grande fille blonde plutôt jolie, s'approcha de moi, laissant les autres admirer Pat, et elle me glissa à l'oreille :

– Tu sais, j'ai habité ta maison.

– Hein ?

Je n'étais pas sûre d'avoir bien entendu. Éric nous interrompit :

– On va au terrain de sport ?

Personne ne sembla prêter attention à sa proposition.

Soudain, tout le monde se tut. Même Pat avait cessé d'aboyer.

Avais-je bien entendu ce que m'avait dit Karen ? Je voulus lui poser la question, mais elle avait rejoint le cercle.

Le cercle…

Je venais de me rendre compte qu'ils formaient maintenant un cercle dont Jimmy et moi étions le centre.

Pourquoi avais-je peur ? Qu'est-ce que j'étais encore en train d'imaginer ? Je les regardais, et soudain ils me semblèrent, comment dire… différents. Ils souriaient, mais c'étaient de drôles de sourires. La fille au caleçon vert me dévisageait fixement. Plus personne ne parlait. Un étrange silence s'était installé sur la rue. Seul Pat s'était remis à gronder tout bas. Qu'avaient-ils à nous dévisager comme ça ? Je me tournai vers Éric, mais il ne me rendit pas mon regard. Je lançai :

– Bon, on y va ?

J'avais essayé de paraître naturelle, mais ma voix tremblait.

Jimmy était accroupi, caressant Pat pour le calmer, et il semblait n'avoir rien remarqué d'anormal.

Un des garçons, qui portait un ballon de basket sous le bras, avança d'un pas. Les autres en firent autant.

Je sentis la peur m'envahir.

Lentement, ils approchaient. Lentement, le cercle se refermait autour de nous.

Les nuages noirs couraient dans le ciel, si bas qu'on avait l'impression de pouvoir les toucher. Jimmy arrangeait la laisse de Pat et ne se rendait compte de rien. Je me demandais si Éric allait dire quelque chose, mais il se taisait, les sourcils froncés.

Lentement, le cercle se resserrait. Je n'osais même plus respirer.

– Qu'est-ce que vous faites, les enfants ?

Une voix d'homme nous interpellait de l'autre côté de la rue.

Tout le monde se retourna. C'était monsieur Andrew qui venait vers nous à longues enjambées, les pans de sa veste ouverte battant derrière lui.

Avec un grand sourire, il répéta :

– Qu'est-ce que vous faites, les enfants ?

Il n'avait pas l'air de remarquer quoi que ce soit d'anormal, lui non plus. Faisant rebondir son ballon négligemment, Victor Lamy répondit :

– On va au terrain de sport.

– Bonne idée, approuva monsieur Andrew, remettant en place sa cravate rayée qui avait volé par-dessus son épaule. Il jeta un coup d'œil au ciel menaçant :

– J'espère que vous n'allez pas vous faire tremper !

Le cercle s'était brisé. Les uns et les autres se tenaient maintenant par petits groupes de deux ou trois. Monsieur Andrew questionna Victor :

– Alors, tu vas nous mettre quelques paniers ?

– Victor est surtout doué pour viser à côté du panier ! se moqua l'un des garçons.

Victor s'élança sur lui en levant le poing :

– Toi, c'est ta tête que je vais viser, oui !

Tout le monde éclata de rire.

Monsieur Andrew rit aussi et s'apprêtait à s'en aller quand il nous aperçut :

– Tiens, fit-il, étonné, Jimmy et Anna ! Je ne vous avais pas vus.

Je bégayai :

– Bonjour.

Je me sentais complètement ridicule. Pourquoi avais-je eu si peur ? Les garçons et les filles du groupe plaisantaient et riaient.

Jimmy, lui, n'avait visiblement rien remarqué.

Qu'est-ce que j'avais encore inventé ? Je me demandai tout de même ce qui serait arrivé si monsieur Andrew n'était pas intervenu. Celui-ci passa la main dans ses cheveux blonds et demanda :

– Comment ça va, dans votre nouvelle maison ?

– Ça va.

À ce moment, Pat se remit à aboyer, tirant furieusement sur sa laisse. Monsieur Andrew prit un air comiquement vexé :

– Décidément, il ne m'aime pas, constata-t-il en se penchant pour le caresser. Allons, le chien, sois gentil !

Pat grogna en montrant les dents. Je soupirai :

– On dirait qu'il n'aime personne, aujourd'hui.

Monsieur Andrew se redressa et haussa joyeusement les épaules :

– Bah, ce n'est pas grave !

Il se dirigea vers sa voiture, garée un peu plus loin :

– Je vais justement chez vous, voir si je peux donner un coup de main à vos parents. Amusez-vous bien !

Je le regardai s'installer au volant et démarrer. Éric dit :

– Il est vraiment sympa, ce type.

J'approuvai. Je me sentais encore mal à l'aise. Est-ce qu'ils n'allaient pas former à nouveau ce cercle menaçant, maintenant que monsieur Andrew était parti ? Mais non. Tout le monde se dirigea en bavardant et en chahutant vers le terrain de sport sans nous prêter davantage attention. Je me sentis à nouveau tout à fait ridicule. Pourquoi auraient-ils voulu nous effrayer, Jimmy et moi ? Je m'étais encore fait des idées. Heureusement que je ne m'étais pas mise à hurler ou quelque chose comme ça !

Le terrain de sport était désert. Les autres enfants de la ville étaient sans doute restés chez eux à cause du temps menaçant.

C'était une grande pelouse entourée d'une haute clôture grillagée. Juste derrière le mur de l'école, il y avait des balançoires et des toboggans, et à l'autre extrémité deux terrains de basket. Au-delà de la clôture, j'apercevais des courts de tennis, déserts eux aussi.

Jimmy attacha Pat à la clôture, puis rejoignit le groupe en courant. Le garçon qui s'appelait Vincent Rodier forma les équipes. Je me trouvai dans celle d'Éric. Jimmy était dans l'autre.

Je me sentais excitée, et en même temps un peu nerveuse. Je ne suis pas vraiment une championne de basket.

Le ciel s'éclaircit légèrement. À la fin de la première partie, l'autre équipe menait trente à vingt-sept. Je commençais à bien m'amuser. Et j'avais réussi à mettre un panier. J'étais contente de me retrouver avec un groupe de garçons et de filles de mon âge. La plupart avaient l'air sympathique, surtout Karen Simon qui venait bavarder avec moi chaque fois que nous avions le temps de souffler un peu. Elle avait un joli sourire, malgré les appareils qui encerclaient ses dents. Elle désirait visiblement qu'on devienne amies.

Comme nous nous préparions pour la revanche, un mince rayon de soleil apparut. Brusquement, j'entendis un coup de sifflet strident. C'était Vincent. Tout le monde se rassembla autour de lui :

– On arrête, dit-il, c'est l'heure. Rappelez-vous, on a tous promis d'être de retour pour le déjeuner.

Je regardai ma montre. Il n'était que onze heures et demie. Mais à mon grand étonnement, personne ne protesta. Ils se lancèrent tous des grands « salut ! ». Et ils se dispersèrent aussitôt. Je n'en revenais pas de la vitesse à laquelle ils avaient disparu. On aurait dit qu'ils voulaient gagner une course.

Karen suivit les autres, son joli visage devenu soudain grave.

Au dernier moment, elle se retourna et me lança :

– Je suis contente de te connaître, Anna ! On pourra se voir, quelquefois ?

Je répondis :

– D'accord ! Tu sais où j'habite ?

Déjà elle s'éloignait en courant :

– Oui, je sais. J'ai habité cette maison.

Mais j'avais sans doute mal compris. Avait-elle vraiment dit ça ?

Les jours suivants, il faisait toujours aussi chaud et le ciel était toujours aussi couvert.

Jimmy et moi commencions à nous habituer à notre nouvelle maison et à nos nouveaux copains. À vrai dire, ce n'était pas encore tout à fait des copains. Ils bavardaient avec nous, ils nous acceptaient dans leurs équipes de basket. Mais nous ne savions pas grand-chose d'eux.

Parfois, la nuit, j'entendais encore des chuchotements dans ma chambre, des rires étouffés. Je m'efforçais de ne pas y prêter attention. Un soir, je crus voir une fille vêtue de blanc au bout du couloir. Mais en m'approchant, je vis que ce n'était que des draps sales posés en tas. Oui, Jimmy et moi commencions à nous habituer. Mais Pat se conduisait toujours d'étrange façon.

Nous l'emmenions chaque jour au terrain de sport et il fallait l'attacher à la clôture, sinon, il ne cessait d'aboyer et de sauter après tout le monde. J'essayais de rassurer Jimmy :

– Il ne se sent pas encore chez lui, ici. Il finira bien par se calmer.

Mais Pat ne se calmait pas. Et quelques jours plus tard, comme nous finissions une partie de basket avec Éric, Karen, Vincent, Victor et toute la bande, je découvris soudain que Pat n'était plus là. Il avait réussi à détacher sa laisse et à s'échapper.

Les recherches durèrent des heures dans tout le quartier. Jimmy et moi appelions, fouillions les cours, les jardins et les terrains vagues. Tout à coup, je me rendis compte que nous étions perdus. Les rues de Tombstone se ressemblaient étrangement, avec leurs alignements de maisons toutes semblables, enfouies dans l'ombre des vieux arbres.

– Zut alors, où sommes-nous ? dit Jimmy, inquiet, en s'appuyant contre un tronc pour reprendre son souffle.

Fouillant toujours la rue du regard, je grommelai :

– Quel idiot, ce chien ! Mais qu'est-ce qu'il lui a pris ? Il ne se sauvait jamais avant !

– Je me demande comment il a réussi à s'échapper, ajouta mon frère, essuyant son front en sueur du revers de sa manche. Je l'avais pourtant attaché bien solidement !

– Hé ! Il est peut-être rentré à la maison ? m'écriai-je subitement.

Jimmy bondit aussitôt :

– Qu'on est bêtes ! Tu as raison, Anna. Il est sûrement à la maison depuis des heures. C'est là qu'on aurait dû chercher tout de suite. Allez, on y va !

– Si on arrive à retrouver le chemin, dis-je, jetant un coup d'œil autour de moi.

Je n'arrivais vraiment plus à me rappeler quelle direction nous avions prise en quittant le terrain de sport. Alors je laissai faire le hasard. Par chance, au premier coin de rue, l'école que nous connaissions bien apparut. Nous avions simplement tourné en rond. C'était facile de nous repérer maintenant.

En repassant devant le terrain de sport, je jetai un coup d'œil au grillage où Jimmy avait attaché Pat. Je me disais : « Qu'est-ce qui se passe dans la tête de ce pauvre chien ? Il n'est vraiment pas dans son état normal depuis notre arrivée à Tombstone. »

J'espérais de toutes mes forces qu'on allait le retrouver à la maison.

Quelques minutes plus tard, Jimmy et moi entrions au pas de course dans notre cour, appelant Pat à grands cris.

La porte d'entrée s'ouvrit brutalement et maman jaillit, couverte de poussière, ses cheveux noirs serrés dans un bandeau rouge. Papa et elle avaient passé la matinée à gratter et à repeindre le porche donnant sur le jardin.

– Où étiez-vous ? Ça fait des heures qu'on vous attend !

Je lui coupai la parole :

– Pat est là ?

– Pat ? fit maman, étonnée. Il n'est pas avec vous ?

Je crus que mon cœur s'arrêtait de battre.

Poussant un grand soupir, Jimmy se laissa tomber au milieu de l'allée et resta là, allongé sur le dos, dans les graviers et les feuilles mortes.

Ma voix tremblait de déception quand je demandai :

– Vous ne l'avez pas vu ? Il était avec nous, mais il s'est échappé.

Maman murmura :

– Ça alors !

Elle se pencha vers Jimmy pour l'aider à se relever.

– Mais comment s'est-il échappé ? Il n'était donc pas en laisse ?

– Si ! Mais il s'est détaché, expliqua Jimmy. On prend la voiture, il faut le retrouver tout de suite !

– Il n'est sûrement pas loin, dit maman. Vous devez mourir de faim. Venez d'abord manger quelque chose et après nous irons.

– Non, tout de suite ! cria Jimmy.

– Qu'est-ce qu'il se passe ? demanda papa qui nous rejoignait, le visage et les cheveux constellés de petites éclaboussures de peinture blanche.

Il nous fallut de nouveau expliquer toute l'affaire. Papa déclara qu'il était trop occupé pour chercher Pat maintenant. Maman proposa de nous emmener faire le tour du quartier avec la voiture, mais plus tard, quand nous aurions pris le temps de déjeuner. Je dus tirer Jimmy par les deux bras pour le forcer à entrer dans la maison.

Après nous avoir préparé quelques tartines de beurre de cacahuettes, maman sortit la voiture du garage pour nous emmener à la recherche de notre chien perdu.

Il n'était nulle part. De retour à la maison, Jimmy et moi, nous étions terriblement malheureux. Papa essayait de nous réconforter, assurant que Pat avait un excellent sens de l'orientation et qu'on n'allait pas tarder à le voir revenir. Mais nous n'étions pas convaincus. Où pouvait-il bien être ?

Le soir, le dîner fut des plus silencieux. Jimmy ne toucha pas à son assiette. Il n'arrêtait pas de répéter, au bord des larmes :

– Je l'avais pourtant attaché solidement !

– Les chiens sont très adroits, tu sais, disait papa. Les rois de l'escapade ! Ne t'en fais pas, il va revenir.

Maman soupira :

– Je n'ai vraiment pas envie d'aller à cette soirée !

J'avais complètement oublié que nos parents devaient sortir après le dîner. Des voisins les avaient invités.

– Je n'en ai guère envie non plus, avoua papa. Je suis exténué, avec ces travaux. Mais c'est une occasion de faire connaissance. Ça ira, les enfants, si on vous laisse ce soir ?

Je répondis distraitement :

– Oui, oui, ne vous en faites pas.

Je n'arrêtais pas de penser à Pat. Je tendais sans cesse l'oreille, guettant un jappement, un grattement à la porte.

Mais rien.

Quand vint le moment de se coucher, Pat n'avait toujours pas réapparu.

Jimmy et moi étions complètement épuisés, autant à cause de l'inquiétude que de notre longue course à sa poursuite. Malgré cela, je me sentais incapable de dormir.

Arrivée sur le palier, j'entendis des murmures et un léger bruit de pas derrière la porte de ma chambre. Mais cela ne me causait plus ni peur ni étonnement. J'entrai tranquillement et allumai la lumière. Les bruits mystérieux cessèrent aussitôt. Je jetai un coup d'œil aux rideaux, ils étaient parfaitement immobiles. Je vis alors un tas de vêtements jetés au travers de mon lit : des jeans, des pulls et même mon unique jupe un peu habillée. Je trouvai ça bizarre. Maman est tellement ordonnée. Si elle avait lavé ces vêtements, elle les aurait sûrement accrochés soigneusement dans mon placard.

En soupirant, je les ramassai et les posai sur une chaise. Je me dis que maman avait sans doute été tellement occupée avec la peinture du porche qu'elle n'avait pas eu le temps de ranger.

Une demi-heure plus tard, j'étais allongée dans mon lit, les yeux grands ouverts, fixant les ombres mouvantes du plafond.

Je pensais à Pat, je pensais à nos nouveaux copains, je pensais à ces rues pleines de maisons fermées dans l'ombre des grands arbres. J'étais toujours dans la même position quand, des heures ou des minutes plus tard, je ne sais pas — j'avais complètement perdu la notion du temps —, j'entendis ma porte s'ouvrir en grinçant. Le plancher craqua. Quelqu'un entrait dans ma chambre. Je m'assis brusquement dans le noir.

– Anna, c'est moi !

J'avais eu si peur qu'il me fallut quelques secondes pour reconnaître la voix de mon frère.

– Jimmy ! Qu'est-ce que tu fais ici ?

Une lumière aveuglante me força à me couvrir les yeux avec mes mains.

– Oh ! excuse-moi, dit Jimmy, c'est ma torche.

Et il dirigea le faisceau lumineux vers le plafond.

– Ça éclaire fort, dit-il, c'est une lampe halogène.

Je me frottai les yeux, des cercles de lumière rouge tournant encore derrière mes paupières.

– Qu'est-ce que tu veux ? demandai-je, quelque peu agressive.

– Je sais où est Pat, chuchota Jimmy. Je vais le chercher. Tu viens avec moi ?

– Quoi ?

Je jetai un coup d'œil à mon réveil :

– Mais Jimmy, il est plus de minuit !

– Ça ne sera pas long, je te promets.

J'avais enfin retrouvé une vision normale. Je regardai Jimmy, éclairé par le reflet de la torche, et vis qu'il était habillé. Je m'assis au bord du lit et posai les pieds par terre :

– Ça ne sert à rien, Jimmy. Nous avons déjà fouillé partout. Il est où à ton avis ?

– Au cimetière, répondit Jimmy.

Ses yeux sombres et sérieux paraissaient plus grands que d'habitude dans la lumière blanche de la torche.

– Hein ?

– C'est là qu'il a couru la première fois qu'il s'est enfui, tu te souviens ? Le jour de notre arrivée à Tombstone. Cet après-midi, avec la voiture, nous avons longé le cimetière mais nous n'y sommes pas entrés. Il est là-bas, Anna, j'en suis sûr. Et je vais le chercher, avec ou sans toi.

Je me levai et pris Jimmy par les épaules :

– Du calme, d'accord ?

Je fus étonnée de sentir qu'il tremblait.

– Pourquoi Pat serait-il retourné au cimetière ?

Jimmy cria presque :

– Parce qu'il y est allé la première fois ! Il cherchait quelque chose, ce jour-là. Quelque chose qu'il n'a pas trouvé. C'est pour ça qu'il y est retourné.

Il se dégagea brusquement :

– Alors, tu viens ou pas ?

« Mon frère, pensai-je, est décidément l'être le plus têtu que la terre ait jamais porté. »

– Jimmy, tu veux vraiment aller te balader dans un cimetière au milieu de la nuit ?

– Je n'ai pas peur, répondit-il, promenant le faisceau de sa lampe à travers ma chambre.

Un bref instant, je crus apercevoir quelqu'un dissimulé derrière mes rideaux. Je faillis crier. Mais ce n'était rien. Rien qu'une ombre.

Jimmy répéta d'une voix impatiente :

– Alors, tu viens ou pas ?

J'avais envie de répondre non. Mais, jetant un regard à mes rideaux, je me dis que je n'aurais sûrement pas plus peur au milieu du cimetière avec Jimmy que seule dans ma chambre.

Je grognai :

– D'accord, je m'habille.

– Bon, chuchota Jimmy, je t'attends en bas.

Et il éteignit sa torche, nous replongeant dans l'obscurité.

J'ajoutai :

– Juste un coup d'œil au cimetière et on revient tout de suite, tu me promets ?

– Ouais ouais, ne t'inquiète pas. On sera de retour avant les parents.

Il sortit de ma chambre et j'entendis ses pas dans l'escalier.

– C'est vraiment de la folie, me dis-je en enfilant mon jean dans le noir.

Oui, c'était de la folie. Mais c'était aussi tout à fait excitant.

Je ne croyais pas que Pat fût au cimetière. Pourquoi aurait-il été là-bas ? Mais ce n'était pas difficile d'aller voir. Ça me ferait une belle aventure à raconter à Charlotte dans ma prochaine lettre. Et puis, après tout, Jimmy avait peut-être raison. Si on avait une chance de retrouver notre chien perdu, cela valait la peine d'essayer.

Trois minutes plus tard, j'avais rejoint mon frère dans l'entrée et nous traversions l'allée de gravier côte à côte.

La nuit était chaude. La lune disparaissait derrière d'épais nuages. Je remarquai pour la première fois qu'il n'y avait pas de lampadaires dans cette rue. Jimmy éclairait le chemin avec sa torche.

– Tu es prête ? demanda-t-il.

Drôle de question ! Est-ce que j'aurais marché à côté de lui si je n'avais pas été prête ?

Les feuilles craquaient sous nos pas comme nous remontions la rue en direction de l'école. Je chuchotai tout bas :

– Qu'est-ce qu'il fait noir !

Les maisons, de chaque côté de la rue, étaient sombres et silencieuses. Il n'y avait pas un souffle de vent. On aurait dit que nous étions les seuls êtres vivants sur la terre.

Hâtant un peu le pas pour rester à côté de Jimmy, je remarquai :

– Je n'aime pas ce silence. On n'entend même pas un grillon. Tu es sûr de vouloir aller au cimetière ?

– Tout à fait sûr, répondit Jimmy, les yeux fixés sur le cercle de lumière qui dansait sur le trottoir. Je sais que Pat est là-bas.

Nous avancions toujours. L'école était toute proche maintenant.

C'est alors que j'entendis des pas. Je m'arrêtai. Jimmy s'arrêta aussi et baissa légèrement la lumière. Les pas retentirent à nouveau. Je ne m'étais pas trompée.

Quelqu'un marchait derrière nous.

Jimmy eut si peur que la torche lui échappa des mains et rebondit sur le trottoir. La lumière vacilla, mais ne s'éteignit pas.

Le temps que mon frère se baisse pour ramasser la torche, notre poursuivant nous avait rejoints. Je me retournai, le cœur battant, et me retrouvai face à Éric.

– Éric ! Qu'est-ce que tu fais là ?

Jimmy dirigea le faisceau de lumière droit sur lui. Il leva les mains pour se protéger et recula vivement dans l'ombre.

– Et vous ? cria-t-il, presque aussi effrayé que nous.

– Tu nous as fait peur, grogna Jimmy, abaissant la torche vers ses pieds.

– Je suis désolé, dit-il. Je vous aurais bien appelés, mais je n'étais pas sûr que ce soit vous.

La voix encore un peu tremblante, j'expliquai :

– C'est une idée géniale de mon frère. Il s'est mis en tête de retrouver Pat.

– Et toi, Éric, demanda Jimmy, qu'est-ce que tu fais là ?

– Ça m'arrive d'aller faire un tour quand je ne peux pas dormir.

– Et tes parents ? m'étonnai-je. Ils te laissent sortir si tard ?

Dans la lueur indirecte de la lampe, je distinguai sur son visage un sourire presque méchant :

– Mes parents n'en savent rien.

Jimmy commençait à s'impatienter :

– Alors, on y va, oui ou non ?

Sans attendre la réponse, il partit au petit trot, la lumière sautant sur le trottoir au rythme de ses pas. Je le suivis aussitôt, n'ayant guère envie de rester dans le noir.

Éric nous rattrapa, demandant :

– Où allez-vous ?

– Au cimetière, dis-je.

– Non ! N'y allez pas ! s'écria-t-il.

Sa voix était si rauque, si étrange, que je m'arrêtai :

– Quoi ?

– N'y allez pas, répéta Éric.

Je ne voyais pas son visage, car il était resté dans l'ombre. Mais il y avait comme une menace dans sa voix.

– Dépêchez-vous, nous lança Jimmy sans s'arrêter.

Il semblait n'avoir rien remarqué d'anormal.

Éric cria :

– Jimmy, attends !

Et ce n'était pas une demande, c'était un ordre.

– N'allez pas là-bas !

– Pourquoi ? demandai-je.

De nouveau, j'avais peur. Éric savait-il quelque chose que nous ne savions pas ? Y avait-il vraiment une menace dans sa voix ? Ou bien était-ce encore un tour de mon imagination ?

Je scrutais l'obscurité, essayant de voir son visage.

– C'est de la folie de se promener là-bas la nuit, expliqua-t-il.

Je compris que je m'étais encore fait des idées. Il avait peur du cimetière, tout simplement. Voilà pourquoi il essayait de nous empêcher d'y aller.

Jimmy continuait d'avancer. Il nous lança :

– Alors, vous venez ?

– Il ne faut pas, répéta Éric.

Oui, c'était ça, il avait peur.

– Nous devons y aller, répliqua mon frère.

– Ne faites pas ça ! insista Éric. Je vous assure, ce n'est pas une bonne idée.

Maintenant, il courait à côté de moi pour rattraper Jimmy qui ne voulait rien entendre.

– Pat est là-bas. Je sais qu'il y est.

Nous dépassâmes le bâtiment noir et désert de l'école. Elle paraissait plus grande, dans la nuit. La lumière de la torche s'accrocha aux branches basses d'un arbre quand Jimmy tourna au coin de la rue en direction du cimetière.

– Jimmy, attends ! supplia Éric.

Mais Jimmy ne ralentissait pas. Et moi, je continuais de le suivre. J'avais hâte que tout ça soit fini.

L'air était toujours aussi chaud, sans le moindre souffle de vent. Je sentais la sueur perler à mes cheveux et je m'essuyai le front avec ma manche. Les nuages cachaient complètement la lune quand le portail du cimetière se dressa devant nous. Dans l'ombre, on distinguait les rangées de pierres tombales. Jimmy marchait toujours devant, la lumière de sa torche dansant sur les tombes.

Brisant soudain le silence, il cria :

– Pat !

Un frisson de peur me parcourut. « Il trouble le sommeil des morts », pensai-je.

Mais je me ressaisis et, tâchant de chasser de mon esprit cette image lugubre, j'appelai à mon tour :

– Pat ! Pat !

Éric, à côté de moi, répéta :

– Ce n'est pas une bonne idée, Anna.

– Je sais, répondis-je. Mais je ne pouvais pas laisser Jimmy venir ici tout seul.

– Il ne faut pas rester ici, insista Éric.

Je commençais à souhaiter qu'il s'en aille. Après tout, personne ne le forçait à nous accompagner. Pourquoi ne nous laissait-il pas tranquilles ?

Quelques mètres plus loin, Jimmy appela soudain :

– Hé ! regardez !

Je m'élançai entre les tombes, mes baskets s'enfonçant dans l'herbe molle. Je remarquai que nous avions déjà parcouru toute la longueur du cimetière.

– Regarde, souffla Jimmy.

Sa torche éclairait une étrange construction à l'extrémité du cimetière. J'avais du mal à distinguer les choses dans le cercle étroit du faisceau de la lampe. C'était tellement surprenant.

Nous étions devant un amphithéâtre, des rangées de gradins circulaires creusés dans le sol et descendant en demi-cercles vers une sorte de scène.

– Ça alors ! m'écriai-je en m'avançant pour mieux voir.

Éric s'approcha par-derrière et me prit par le bras :

– Anna, je t'en prie, partons d'ici.

Mais je me dégageai et continuai d'avancer. « Quelle drôle d'idée de construire un théâtre de plein air à côté d'un cimetière ! » me disais-je.

À ce moment, je butai contre quelque chose et perdis l'équilibre. Mes genoux heurtèrent durement le sol.

– Aïe ! Qu'est-ce que c'est que ça ?

Jimmy abaissa la torche. Je m'étais pris le pied dans une énorme racine. Suivant des yeux le faisceau lumineux, je découvris quelques mètres plus loin un arbre gigantesque, surplombant les gradins de l'amphithéâtre, et tellement penché vers le vide qu'il semblait prêt d'y tomber. Ses énormes racines sortaient de terre tout autour de lui et ses branches étaient si chargées de feuilles que leur poids semblait l'entraîner vers le sol.

– Quel arbre ! s'écria Jimmy.

Je demandai :

– Hé, Éric, c'est quoi, cet endroit ?

– C'est une sorte de forum, répondit Éric, debout à côté de moi. Les gens d'ici s'y réunissent pour discuter des affaires de la ville.

– Dans un cimetière ?

Je trouvai ça plutôt bizarre.

Éric semblait de plus en plus nerveux :

– Allons-nous-en, Anna.

À ce moment, un bruit, juste derrière nous, entre les tombes, nous fit tressaillir.

Jimmy se retourna, braquant le faisceau de sa torche de ce côté.

– Pat !

Il était bien là, Jimmy avait raison. Je n'arrivais pas à y croire.

– Pat ! Pat !

Je m'approchai de notre petit chien qui s'était accroupi sur ses pattes de derrière, prêt à prendre la fuite. Il nous regardait, et ses yeux étaient rouges dans la lumière de la torche. Je criai :

– Pat ! Te voilà !

Il baissa la tête et détala comme pris de panique.

– Pat, reviens ! Pat, c'est nous !

Jimmy réagit en un éclair, s'élança, l'attrapa et le souleva de terre :

– Eh bien, Pat, mon chien, qu'est-ce qu'il te prend ?

Mais alors que je m'approchais, mon frère le lâcha brusquement et fit un pas en arrière :

– Pouah ! Il pue !

Je criai :

– Quoi ?

– Il pue, il sent le rat mort !

Jimmy se pinçait les narines d'un air dégoûté.

– Jimmy, murmurai-je, le cœur serré, il n'est pas heureux de nous voir. Regarde-le, on dirait qu'il ne nous a même pas reconnus !

C'était vrai. Pat s'éloignait, indifférent, trottinant entre les tombes. Puis il se retourna et nous regarda fixement.

Je me sentis brusquement très mal. Qu'est-ce qui lui était arrivé ? On aurait dit un autre chien.

– Je n'y comprends rien, dit Jimmy. D'habitude on ne peut pas le laisser trente secondes, il nous fait fête à notre retour comme si on était partis depuis des mois !

Éric, qui était resté près de l'arbre au-dessus de l'amphithéâtre, nous cria :

– Il faut partir maintenant !

Mais je ne l'écoutais pas. J'appelai mon chien :

– Pat ! Pat, qu'est-ce que tu as ? Pat, tu ne reconnais plus ton nom ?

– Où a-t-il bien pu se fourrer pour puer comme ça ? grommela Jimmy.

– Ramenons-le à la maison, dis-je, on lui donnera un bain.

Je me sentais affreusement triste. Et en même temps, j'avais peur.

– Ce n'est peut-être pas Pat ? remarqua pensivement Jimmy.

– Tu vois bien que c'est lui. Il a encore sa laisse. Attrape-le, Jimmy, et ramenons-le à la maison.

– Attrape-le toi-même !

Mon frère avait pris sa voix butée. Je compris que je n'avais pas le choix. Je dis :

– Bon, j'y vais. Mais passe-moi la torche.

Je lui pris l'halogène des mains et commençai à courir derrière Pat. Je commandai :

– Ici, Pat ! Assis !

D'habitude, il m'obéissait toujours. Mais cette fois, il ne se retourna même pas. Il continuait de trotter entre les tombes.

– Pat, ici ! hurlai-je, exaspérée. Arrête de me faire courir comme ça !

– Ne le laisse pas s'échapper, cria Jimmy, s'élançant derrière moi.

Je tournai la lampe d'un côté et de l'autre :

– Où est-il ?

– Pat ! Pat !

Il y avait une sorte de désespoir dans la voix de mon frère. Je gémis :

– Oh non, il a encore disparu ! À quoi il joue, cet idiot de chien ?

Je promenai le faisceau de la torche sur les rangées de tombes. Plus trace de Pat.

Soudain, le cercle de lumière éclaira une pierre de granit. Il y avait un nom gravé dessus. Je m'arrêtai net, retenant mon souffle :

– Jimmy, viens voir !

J'avais agrippé mon frère par la manche et ne le lâchais plus.

– Quoi ? Qu'est-ce qu'il y a ? demanda-t-il.

– Regarde ! Le nom sur cette tombe !

C'était Karen Simon.

Jimmy lut le nom, puis me regarda, étonné :

– Et alors ?

– C'est Karen, dis-je, ma nouvelle amie, celle à qui je parle tous les jours sur le terrain de sport. Jimmy haussa les épaules :

– C'est probablement sa grand-mère, ou quelque chose comme ça. Viens, il faut rattraper Pat.

Mais j'insistai :

– Regarde les dates !

Jimmy lut avec moi les dates inscrites sous le nom de Karen Simon : 1970-1982.

– Ce ne peut pas être sa mère ou sa grand-mère, dis-je, tenant la lumière de la torche sur l'inscription d'une main tremblante. Cette fille est morte à douze ans. Elle avait mon âge. L'âge de Karen…

Jimmy fronça les sourcils :

– Alors une cousine, peut-être. Occupons-nous plutôt de Pat.

Mais j'avançai de quelques pas, éclairant les tombes une à une. Je lisais ici et là des noms inconnus. Jimmy s'impatientait :

– Anna, viens !

Sur la tombe suivante était gravé le nom de Victor Lamy. 1975-1988. J'appelai :

– Jimmy ! Viens voir ! C'est la tombe de Victor ! Victor qui est aussi avec nous tous les jours sur le terrain de sport !

Jimmy ne m'écoutait pas :

– Anna, viens, quoi ! Il faut rattraper Pat !

Je ne pouvais plus arracher mon regard de toutes ces tombes. J'allais de l'une à l'autre, éclairant les inscriptions. Terrorisée, je découvris encore les noms de Vincent Rodier et de Lucas Reberg.

Les garçons et les filles qui jouaient au basket avec nous, tous avaient leur tombe ici.

Le cœur battant, j'avançais d'allée en allée. En éclairant la dernière tombe d'une rangée, je faillis lâcher la torche. Je venais de lire : Éric Welner. 1977-1989. J'entendais Jimmy m'appeler, mais je ne comprenais pas ce qu'il disait. Je lisais et je relisais l'inscription : Éric Welner. 1977-1989.

J'étais là, immobile, glacée, fixant les mots gravés dans la pierre jusqu'à ce qu'ils deviennent flous.

Alors je vis Éric, debout à côté de la tombe, qui me regardait.

Les mots eurent beaucoup de peine à sortir de ma bouche :

– Éric… Éric, cette tombe… c'est la tienne !

Une lueur rouge passa dans ses yeux.

– Oui, c'est la mienne, dit-il doucement. Je suis désolé, Anna. Il ne fallait pas venir ici la nuit, je vous l'avais dit. Je suis vraiment désolé…

La torche m'échappa des mains et je reculai d'un pas. L'air était étouffant. Pas un son, pas un souffle. Autour de moi, il n'y avait que la mort. J'étais là, glacée, entourée de tombes, enveloppée de ténèbres, et je pensai : « Qu'est-ce qu'il va me faire ? »

Je tentai de parler, et ma voix me parut venir de très loin :

— Éric, est-ce que tu es vraiment… mort ?

— Je suis désolé, Anna. Vous ne deviez pas découvrir ça tout de suite.

Sa voix lente et basse semblait venir de très loin. Je bégayai :

— Mais… comment est-ce… ? Je veux dire… je ne comprends pas…

Loin derrière, du côté du grand arbre, j'apercevais l'ombre de Jimmy qui continuait de chercher Pat.

— Pat… murmurai-je.

Et l'épouvante me serra la gorge.

Éric reprit, de cette étrange voix lente et basse :

– Les chiens savent. Les chiens reconnaissent tout de suite les morts-vivants. C'est pour ça qu'ils doivent disparaître les premiers. Parce qu'ils savent.

– Tu veux dire que Pat est… mort ?

Éric fit un signe de tête :

– Ils tuent les chiens en premier.

Je hurlai :

– NON !

Et je reculai encore d'un pas, manquant de perdre l'équilibre en me heurtant à une tombe.

– Vous ne deviez pas savoir, reprit Éric.

Son visage était sans expression, mais ses yeux semblaient voilés de tristesse.

– Vous ne deviez pas savoir avant plusieurs semaines. Je suis le Veilleur. Je devais veiller sur vous jusqu'à ce que le temps soit venu.

Il fit un pas vers moi et une lueur rouge s'alluma à nouveau dans ses yeux.

Je criai :

– C'était toi qui me regardais derrière la fenêtre ! C'était toi qui étais dans ma chambre !

Lentement, il fit oui de la tête :

– J'ai habité cette maison.

Il approcha encore d'un pas, m'obligeant à m'adosser à une froide pierre de marbre.

– Je suis le Veilleur.

Je me forçais à regarder ailleurs, à ne plus plonger mes yeux dans ses yeux brûlants. J'aurais voulu appeler Jimmy, le prévenir. Mais il était trop loin. Et moi, j'étais là, glacée, paralysée de terreur.

– Nous avons besoin de sang frais, expliqua Éric.

– Quoi ? Qu'est-ce que tu as dit ?

– Cette ville ne peut survivre si nous ne trouvons pas de sang frais, continua-t-il de sa voix tranquille. Tu comprendras bientôt, Anna. Tu comprendras pourquoi nous vous avons invités dans la maison des morts.

J'aperçus soudain Jimmy qui s'approchait. Je pensais de toutes mes forces : « Va-t'en, Jimmy. Va-t'en d'ici. Cours chercher quelqu'un, quelqu'un… »

Je pensais les mots… mais je n'arrivais pas à les crier. Les yeux d'Éric flamboyèrent. Il était debout devant moi, le visage soudain dur et glacé.

– Éric ?

À travers mon jean, je sentais le froid du marbre monter le long de mes jambes.

Il murmura :

– Je suis le Veilleur. Et je n'ai pas rempli ma tâche. Je suis désolé.

Alors je le vis s'élever légèrement du sol et flotter vers moi.

Je suffoquai. J'ouvris la bouche, mais aucun son n'en sortit.

Jimmy ? Où était-il maintenant ?

Je parcourais désespérément du regard les rangées de tombes, mais je ne le voyais plus.

Éric s'éleva encore, planant au-dessus de moi, m'aveuglant, m'étouffant.

Je pensai : « Je suis morte, morte. Maintenant, je suis morte, moi aussi ! »

Puis, brusquement, un faisceau de lumière troua l'obscurité.

C'était Jimmy. Il nous avait rejoints et avait ramassé la torche tombée dans l'allée.

– Qu'est-ce qui se passe, Anna ? cria-t-il d'une voix aiguë.

Et il éclaira brutalement le visage d'Éric.

Éric hurla et redescendit à terre.

– Éteins ça ! Éteins ça ! criait-il d'une voix semblable au sifflement du vent à travers une vitre brisée.

Mais Jimmy continuait de le tenir dans la lumière violente de l'halogène, répétant :

– Qu'est-ce qui se passe ? Qu'est-ce que vous faites ?

Je repris mon souffle, tentant de calmer les battements désordonnés de mon cœur. Éric avait levé les bras pour se protéger de la lumière et je le regardais, incrédule.

La lumière était en train de le détruire. Sa peau semblait fondre, couler de son visage, révélant les os. Ses yeux roulèrent hors des orbites et tombèrent sans bruit sur le sol.

Jimmy, figé d'horreur, ne lâchait pas la torche et tous deux nous regardions, fascinés, le crâne grimaçant, les deux trous noirs et vides qui continuaient de nous fixer.

Éric fit un pas en avant et je hurlai. Puis je compris qu'il ne marchait pas, il tombait.

Son crâne heurta l'angle d'une tombe avec un craquement sec.

Jimmy agrippa ma main et me tira violemment :

– Viens, Anna, viens !

Mais je n'arrivais pas à détacher mes yeux de ce qui restait d'Éric, quelques ossements inertes dans un tas de vêtements froissés.

– Anna, viens !

Sans même m'en rendre compte, je me mis à courir, courir de toutes mes forces aux côtés de Jimmy en direction du portail.

Dans la lumière dansante de la lampe, les pierres tombales surgissaient autour de nous, formes blanches qui replongeaient aussitôt dans la nuit. Nous glissions sur le sol couvert d'une herbe rase et humide, et nous courions, nous courions, le souffle coupé, la gorge sèche. Je haletai :

– Il faut retrouver papa et maman et partir d'ici tout de suite !

Nous avions enfin atteint la rue. Jimmy remarqua :

– Ils ne nous croiront jamais !

Puis, il ajouta :

– Je ne sais même pas si j'y crois moi-même !

– Ils nous croiront, répliquai-je. Il le faut ! Sinon, nous leur ferons quitter cette maison de force.

Nous courions maintenant dans les rues vides, le faisceau de la torche trouant l'obscurité. Pas un lampadaire, pas une fenêtre allumée aux façades noires des maisons. Nous avions pénétré dans un monde de nuit. Maintenant, il fallait en sortir.

Sans ralentir notre course, nous jetions de temps à autre un regard en arrière de peur d'être poursuivis. Mais il n'y avait personne.

J'avais un horrible point de côté, pourtant je me forçai à accélérer encore pour remonter l'allée de gravier, avec son tapis de feuilles mortes, jusqu'au porche de la maison.

J'ouvris la porte d'une poussée et appelai :

– Papa ! Maman ! Où êtes-vous ?

Pas de réponse. Toutes les lumières étaient éteintes.

– Papa ! Maman !

Je suppliais en moi-même : « Répondez ! Par pitié, répondez ! »

Mais il n'y avait personne. La maison était vide.

Jimmy se rappela soudain :

– Ils sont peut-être encore à cette soirée ?

Nous étions revenus dans le salon, tâchant toujours l'un et l'autre de reprendre notre souffle. J'avais allumé toutes les lampes, pourtant la pièce me paraissait obscure et menaçante.

Je jetai un coup d'œil à la pendule. Elle indiquait deux heures du matin.

– Ils devraient être rentrés, dis-je d'une voix mal assurée. Ils ont peut-être laissé un numéro de téléphone ?

Déjà Jimmy courait vers la cuisine. Il examina le bloc-notes où papa et maman inscrivent les courses et laissent leurs messages. La page était blanche.

Les yeux agrandis par la peur, Jimmy cria :

– Il faut qu'on les retrouve ! Il faut qu'on parte d'ici !

« Et s'il leur était arrivé… quelque chose ? » pensai-je. J'allais dire la phrase tout haut et me retins juste à temps. Inutile d'effrayer mon frère davantage. Mais c'était probablement ce qu'il pensait aussi.

Désemparés, nous tournions dans le salon à la recherche d'une idée.

– Si on appelait la police ? suggéra Jimmy.

– Quelle police ?

J'appuyai mon front à la vitre froide et scrutai les ténèbres de la cour en gémissant :

– Je ne sais pas quoi faire. Je veux que papa et maman reviennent. Je veux partir d'ici, vite !

– Pourquoi si vite ? dit une voix de fille derrière moi.

Jimmy poussa un hurlement.

Je me retournai : Karen Simon était debout au milieu de la pièce.

Je bégayai :

– Mais… tu es morte !

Karen sourit, d'un sourire infiniment triste.

Deux garçons entrèrent à leur tour. L'un deux éteignit les lampes, murmurant :

– Trop de lumière, ici.

Puis Vincent Rodier apparut devant la cheminée, et la fille aux cheveux noirs, celle que j'avais vue le premier jour en haut des escaliers, sortit de derrière les rideaux juste à côté de moi.

Des morts, tous.

Ils souriaient, et leurs yeux luisaient étrangement dans l'obscurité.

Ils avançaient vers nous, lentement.

– Qu'est-ce que vous voulez ? criai-je, d'une voix que je ne reconnus pas.

Karen dit doucement :

– Nous avons habité cette maison.

– C'est la maison des morts, ajouta Vincent.

Et ils se mirent tous à rire.

— Ils vont nous tuer ! hurla Jimmy.

Je les regardais s'avancer en silence. Mon frère et moi étions maintenant adossés à la fenêtre. Je parcourais du regard la pièce obscure, cherchant un moyen de leur échapper. En vain.

— Karen, tu avais l'air si gentille.

Je lâchai ces mots si bas que je n'étais même pas sûre de les avoir prononcés.

Les yeux de Karen brillèrent légèrement.

— J'étais gentille, dit-elle d'une voix sans timbre, jusqu'à ce que je vienne ici.

De la même voix éteinte, Victor Lamy prononça :

— Nous étions gentils, tous. Mais maintenant, nous sommes morts.

Jimmy étendit les mains devant lui comme pour les repousser et cria :

— Laissez-nous ! Laissez-nous partir !

De nouveau ils se mirent à rire. Ils étaient morts et ils riaient.

– N'aie pas peur, Anna, dit Karen. Bientôt vous serez des nôtres. C'est pour ça qu'ils vous ont invités dans cette maison.

– Je… je ne comprends pas, balbutiai-je.

– C'est la maison des morts. C'est ici qu'habitent tous ceux qui viennent à Tombstone pour la première fois. Tant qu'ils sont encore en vie.

Jimmy s'étonna :

– Mais notre grand-oncle…

Il y eut une lueur amusée dans les yeux de Karen :

– Désolée, Jimmy. Votre grand-oncle n'a jamais existé. C'était juste un moyen pour vous faire venir. Une fois par an, une nouvelle famille doit venir s'installer ici. Il y a quelques années, c'était nous. Maintenant, c'est votre tour.

– Nous avons besoin de sang frais, expliqua Vincent Rodier, ses yeux rougeoyant dans l'ombre. Une fois par an, vous comprenez, nous avons besoin de sang frais.

Peu à peu, je les voyais s'élever, flotter au-dessus du sol, prêts à fondre sur nous. J'inspirai profondément, ma dernière inspiration, peut-être, et je fermai les yeux.

Alors quelqu'un frappa à la porte.

Dehors, on tambourinait à coups violents et répétés. J'ouvris les yeux : la pièce était vide. Une odeur fétide flottait dans l'air. Jimmy et moi, nous nous regardions, hébétés.

Les coups contre la porte redoublèrent.

– C'est papa et maman ! s'écria Jimmy.

Il se précipita mais heurta une table basse, dans le noir, si bien que j'atteignis la porte avant lui.

Je l'ouvris en criant :

– Papa, Maman, où étiez-vous ?

Je tendais déjà les bras pour les embrasser et m'arrêtai brusquement, la bouche ouverte :

– Monsieur Andrew ! s'exclama Jimmy, qui m'avait rejointe.

J'ouvris la porte en grand :

– Oh ! monsieur Andrew, je suis si contente de vous voir !

– Tout va bien, les enfants ? demanda-t-il, son beau visage tiré par l'anxiété. Dieu merci, j'arrive à temps !

J'étais tellement soulagée que les larmes me sont montées aux yeux. Il me prit par le bras :

– Nous n'avons pas le temps de discuter, venez vite avec moi.

Sa voiture était garée devant le portail. Le moteur tournait et seuls les feux de position étaient allumés.

Jetant un regard inquiet autour de lui, il souffla :

– Il faut que je vous emmène loin d'ici pendant qu'il en est encore temps.

Jimmy et moi nous nous élancions déjà derrière lui quand brusquement, un doute me saisit : et si monsieur Andrew était l'un d'entre eux ?

– Dépêchez-vous, disait-il, scrutant nerveusement l'obscurité de la rue. Nous sommes en danger.

Je le regardai droit dans les yeux, cherchant à lire dans son regard si je pouvais lui faire confiance, et murmurai :

– Oui, mais…

Il m'interrompit :

– J'étais invité à cette soirée avec vos parents. Et soudain, les gens ont formé un cercle autour de nous. Ils se sont mis à se rapprocher lentement.

Un cercle !

Comme autour de nous, le premier jour, près du terrain de sport.

– Nous avons réussi à nous échapper tous les trois, continua monsieur Andrew. Dépêchez-vous, il faut quitter cet endroit tout de suite.

Je demandai :

– Où sont nos parents ?

– Ils sont en sécurité, mais je ne sais pas pour combien de temps.

Nous suivîmes monsieur Andrew jusqu'à sa voiture. Le vent s'était levé et les nuages se dispersaient, laissant apparaître un mince croissant de lune.

– Il y a une malédiction sur cette ville, grommela monsieur Andrew, tenant la portière pour que je m'installe à l'avant pendant que mon frère montait à l'arrière.

Je me laissai tomber sur le siège.

– Nous le savons, dis-je, pendant qu'il se glissait derrière le volant.

– Il faut nous en aller le plus loin possible avant qu'ils ne puissent nous rattraper, déclara-t-il.

La voiture démarra brusquement, faisant crisser les pneus sur le gravier. Je soupirai :

– Heureusement que vous êtes arrivé ! Ils étaient dans notre maison, des garçons et des filles, des morts…

– Ainsi, vous les avez vus, dit-il doucement.

Et il accéléra.

Une vague lueur orange commençait à monter du fond de l'horizon. Anxieuse, je demandai :

– Où sont nos parents ?

– Il y a une sorte de théâtre de plein air, à l'extrémité du cimetière, expliqua monsieur Andrew, surveillant la route avec attention. Les gradins sont creusés à même le sol et l'endroit est presque entièrement dissimulé par un arbre gigantesque. Je les ai laissés là et je leur ai dit de nous attendre. Je pense qu'ils y sont en sécurité. Personne n'irait les chercher justement près du cimetière.

– Nous connaissons cet endroit, s'exclama mon frère.

Un éclat de lumière blanche jaillit brusquement à l'arrière de la voiture. Monsieur Andrew sursauta :

– Qu'est-ce que c'est ?

– C'est ma torche, dit Jimmy en l'éteignant aussitôt. Je l'ai prise, au cas où. Mais le jour ne va pas tarder à se lever. Je n'en aurai sans doute pas besoin.

Monsieur Andrew freina et se gara sur le bas-côté. Nous étions à l'extrémité du cimetière. Je descendis rapidement de la voiture, impatiente de retrouver mes parents.

Le ciel était encore sombre, strié de longues traînées violettes. Une lueur orangée montait lentement derrière la cime des arbres.

Au-delà d'une rangée de pierres tombales j'apercevais la silhouette immense de l'arbre, penchée au-dessus du mystérieux amphithéâtre.

– Dépêchons-nous, dit monsieur Andrew, refermant sans bruit sa portière. Vos parents doivent être affreusement inquiets.

Il passa devant nous, mi-courant mi-marchant. Jimmy n'avait pas lâché sa torche.

Soudain, mon frère s'écria :

– Pat !

Je suivis son regard et vis notre petit terrier trottiner entre les tombes.

– Pat ! appela de nouveau Jimmy, en se lançant à sa poursuite. Mon cœur se serra. Je n'avais pas eu le temps d'expliquer à Jimmy ce qui était arrivé à notre pauvre petit chien. J'appelai :

– Jimmy, non ! Attends !

Monsieur Andrew, alarmé, m'interrompit :

– Nous n'avons pas le temps, Anna, il faut faire vite.

– Je vais le chercher, décidai-je.

Et je me mis à courir en criant :

– Jimmy ! Reviens ! Laisse Pat, Jimmy ! Il est mort !

Jimmy avait presque rattrapé notre chien qui trottinait tranquillement, reniflant ici et là sans lui prêter la moindre attention, quand soudain il trébucha contre une large dalle de pierre renversée. Il poussa un cri en tombant, tandis que la torche lui échappait des mains et rebondissait sur la pierre. Je le rejoignis rapidement :

– Jimmy, tu n'as rien ?

Il restait allongé à plat ventre, regardant droit devant lui, muet.

– Jimmy, réponds-moi, tu n'as rien ?

Je le saisis par les épaules, essayant de le relever. Mais il restait immobile, la bouche ouverte, les yeux écarquillés.

– Jimmy ?

– Regarde, souffla-t-il.

Je soupirai de soulagement. J'avais eu peur qu'il se soit assommé. Pointant son doigt vers la dalle de pierre qui l'avait fait chuter, il répéta :

– Regarde !

Je m'accroupis à côté de lui et remuant silencieusement les lèvres, je lus l'inscription gravée dans la pierre : Joslin Andrew. 1950-1980.

Un vertige me prit, je dus m'accrocher à Jimmy pour ne pas tomber.

Joslin Andrew. Ce n'était ni son père ni son grand-père. Il était le seul Joslin de la famille, c'était lui-même qui nous l'avait dit.

Monsieur Andrew était mort, lui aussi.

Mort, mort, mort. Comme tous les autres. Il était l'un d'entre eux.

Jimmy et moi, nous nous regardions, saisis d'effroi, dans la vague lueur de l'aube.

Nous étions cernés par les morts.

« Et maintenant, pensais-je, et maintenant… ? »

Je soufflai :

– Relève-toi, Jimmy, vite, il faut partir d'ici.

Mais il était trop tard. Une main me saisit par l'épaule. Je me retournai et vis monsieur Andrew qui semblait lire l'inscription sur sa propre tombe.

Aussi déçue que terrifiée, je criai :

– Monsieur Andrew, vous aussi !

– Moi aussi, répondit-il, avec une sorte de tristesse dans la voix.

Tournant vers moi des yeux étrangement luisants, il ajouta :

– Tombstone était une ville comme les autres, avant. Nous étions des gens comme les autres. Presque tout le monde travaillait à l'usine chimique, à la sortie de la ville. Un jour, il y eut un accident. Un gaz jaune s'échappa de l'usine et retomba sur la ville. Ça s'est passé si vite, personne ne s'est rendu compte de rien. Nous sommes tous morts, Anna, tous. Et on nous a enterrés. Mais nous n'avons pas trouvé le repos. Tombstone est devenue une ville de morts-vivants.

Je dus faire un effort énorme pour demander :

– Qu'est-ce que… qu'est-ce que vous allez faire de nous ?

Mes genoux tremblaient tellement que je tenais à peine debout. Un mort me tenait par l'épaule, un mort plongeait ses yeux dans les miens. Je respirais son haleine fétide. Je tournai la tête, mais je sentais encore cette odeur de tombeau.

Jimmy sauta sur ses pieds et, dressé devant monsieur Andrew, il l'interrogea brutalement :

– Où sont nos parents ?

Monsieur Andrew esquissa un sourire :

– Ils sont sains et saufs. Venez avec moi, nous allons les rejoindre.

J'essayai de me dégager, mais sa main agrippait fermement mon bras. Je hurlai :

– Allez-vous-en !

Son sourire s'élargit :

– Anna, ce n'est pas douloureux de mourir. Venez avec moi.

– Non ! cria Jimmy.

Rapidement, il se baissa et ramassa la torche. Je compris aussitôt et lui lançai :

– Oui, Jimmy ! Allume ! La lumière peut le détruire comme elle a détruit Éric ! Allume, vite !

Jimmy tâtonna, puis appuya sur l'interrupteur. Rien.

– Elle… elle est cassée, bégaya mon frère.

Le choc sur la dalle de pierre avait été trop violent. La torche ne marchait plus. Mon cœur battant à tout rompre, je regardai monsieur Andrew et vis sur son visage un sourire de triomphe.

— C'est raté, Jimmy, constata froidement monsieur Andrew.

Il avait cessé de sourire. Vu de près, il ne paraissait plus ni jeune ni beau. Sa peau semblait desséchée et formait de larges poches sous ses yeux. Jetant un coup d'œil au ciel qui s'éclaircissait lentement, il me poussa devant lui. Le soleil ne tarderait plus à se lever derrière la cime des arbres.

— On y va, ordonna-t-il.

Jimmy hésita.

— J'ai dit : on y va ! répéta monsieur Andrew d'une voix coupante.

Sans lâcher mon épaule, il avança vers Jimmy, menaçant.

Mon frère regardait désespérément sa torche inutile. Puis il leva le bras et la lança de toutes ses forces à la tête de monsieur Andrew. Elle l'atteignit au milieu du front si violemment que la peau se fendit. Monsieur Andrew me lâcha et, poussant un cri étouffé, porta la main à son front.

Je hurlai :

– Cours, Jimmy !

Mais ce n'était pas la peine de le lui dire.

Il était déjà parti, zigzaguant entre les tombes, coudes au corps et tête en avant. Je le suivis, courant aussi vite que je pouvais.

Jetant un coup d'œil en arrière, je vis monsieur Andrew s'élancer derrière nous en chancelant, tenant toujours son front blessé. Soudain il s'arrêta et regarda le ciel.

« Le soleil, pensai-je. Il a peur du soleil. Il faut qu'il reste dans l'ombre, le jour va bientôt se lever. »

Jimmy s'était jeté derrière un haut monument de marbre à demi en ruine. Je m'accroupis près de lui, hors d'haleine.

Collés au marbre froid, nous guettions le mort-vivant.

Il se dirigeait maintenant vers l'amphithéâtre, cherchant l'ombre du grand arbre.

– Il abandonne, il s'en va ! chuchota Jimmy.

Il haletait, essayant à la fois de reprendre son souffle et de dominer sa peur.

Je me glissai sur le côté du monument pour ne pas perdre de vue monsieur Andrew.

– Le soleil ne va pas tarder à apparaître, remarquai-je. Il ne peut pas le supporter. Il va sans doute chercher papa et maman.

– Cette saleté de torche ! maugréa Jimmy.

– Ça ne fait rien, dis-je, observant monsieur Andrew qui disparaissait dans l'ombre de l'arbre. Mais qu'est-ce qu'on va faire maintenant ?

– Tais-toi, souffla soudain Jimmy en pointant son doigt, regarde !

Je me penchai et vis des silhouettes sombres qui envahissaient les allées. Elles semblaient surgies de nulle part.

Étaient-elles sorties des tombes ?

Flottant au-dessus de la pente herbeuse, elles avançaient, rapides, muettes. Elles se dirigeaient vers l'amphithéâtre comme si une force les attirait là-bas, comme des marionnettes tirées par des ficelles.

– Tu as vu le nombre ! murmura Jimmy, reculant vivement derrière le monument de marbre.

Les silhouettes semblaient ondoyer dans l'obscurité. On aurait dit que les tombes, les buissons, le cimetière tout entier avait pris vie et s'avançait vers les gradins cachés de l'amphithéâtre.

Je reconnus Karen, puis Victor, et tous les autres. Ils avançaient rapidement, par deux ou par trois, suivant d'autres ombres, silencieux. Oui, ils étaient tous là, sauf Éric.

Nous avions tué Éric. Nous avions tué un mort.

Jimmy interrompit mes pensées lugubres :

– Tu crois que papa et maman sont vraiment dans ce fichu amphithéâtre ? demanda-t-il.

Je le pris par la main et l'entraînai :

– Viens, il faut les retrouver.

Les dernières silhouettes disparaissaient dans l'ombre du grand arbre. De nouveau plus rien ne bougeait dans le cimetière.

Un corbeau solitaire planait au-dessus de nous, dans un ciel maintenant sans nuages et qui pâlissait lentement.

Prudemment, courbés en deux pour nous dissimuler derrière les tombes, Jimmy et moi avancions à notre tour vers l'amphithéâtre. J'avais du mal à bouger. J'avais l'impression de peser des tonnes. « Le poids de ma peur », pensai-je. Je voulais tellement me rendre compte si papa et maman étaient là-bas ! Et en même temps, je ne voulais pas savoir. J'avais trop peur de les découvrir prisonniers de monsieur Andrew et des autres, j'avais trop peur de les voir mourir.

Cette idée m'empêchait d'avancer.

Je tendis le bras pour retenir Jimmy, mais déjà il arrivait au grand arbre penché, se dissimulant derrière ses énormes racines qui émergeaient du sol tout autour.

De l'amphithéâtre montait un vague murmure de voix.

Jimmy chuchota :

– Je veux voir si papa et maman sont là.

Je le tirai en arrière :

– Attention, il ne faut pas que les… les morts nous voient. Ils sont juste au-dessous de nous.

– Mais je veux savoir si papa et maman sont là, insista Jimmy, les yeux pleins de peur.

– Moi aussi, dis-je, mais soyons prudents.

Nous étions tous les deux appuyés à l'énorme tronc. L'écorce en était douce sous mes mains. Je me penchai pour regarder.

Alors je les vis. Papa et maman. Ils étaient là, tous les deux. Ligotés dos à dos, au milieu de la scène en bas de l'amphithéâtre, ils paraissaient terrifiés. Le visage de papa était rouge, maman avait les cheveux en désordre et la tête baissée.

Puis je vis monsieur Andrew s'avancer vers eux, accompagné d'un vieil homme.

Monsieur Andrew ! C'était lui qui avait manigancé tout ça, j'en étais sûre. C'était lui qui avait hâté les choses. Il se doutait que nous allions tout découvrir, à cause de Pat. Il savait que c'était cette nuit ou jamais ! Mais la nuit allait bientôt finir...

Sur les rangées de sièges creusés dans le sol, il n'y avait plus une place libre. Comme ils étaient nombreux !

« Toute la ville est là », pensai-je.

Toute la ville, sauf Jimmy et moi.

Le grand arbre tenait l'amphithéâtre dans son ombre. Je comprenais pourquoi ils l'avaient creusé ici : pour ne jamais être surpris par le lever du soleil.

Jimmy agrippa mon bras et gémit :

– Ils vont tuer papa et maman ! Ils veulent en faire des... des morts comme eux !

– Et puis ce sera notre tour, murmurai-je, sans quitter des yeux mes malheureux parents.

Tous deux avaient la tête baissée maintenant. Ils étaient immobiles devant la foule silencieuse des morts.

Ils attendaient leur destin.

– Qu'est-ce qu'on va faire ? chuchota Jimmy.

– Hein ?

J'étais si profondément plongée dans mes pensées que je n'avais pas compris sa question.

Me tirant désespérément par le bras, il répéta :

– Qu'est-ce qu'on va faire ? On ne peut pas rester là comme ça et…

Soudain, je sus ce qu'il fallait faire. L'idée m'était venue toute seule, sans même que j'y réfléchisse.

Je me décollai du tronc de l'arbre en déclarant :

– On peut peut-être les sauver. On peut peut-être faire quelque chose.

Jimmy lâcha mon bras. Il me regardait fixement.

– Nous allons faire tomber cet arbre, dis-je d'un ton si assuré que je m'en étonnai moi-même. Nous allons faire tomber cet arbre et la lumière du soleil levant va inonder l'amphithéâtre. Ils ne supportent pas le soleil !

– Mais oui ! s'exclama Jimmy, aussitôt convaincu. C'est ce qu'il faut faire ! Cet arbre est déjà à moitié déraciné ! Nous pouvons le renverser, nous le pouvons !

Je savais que nous réussirions. D'où me venait cette certitude, je l'ignorais. Mais je savais aussi qu'il fallait faire vite.

En me penchant pour regarder entre les branches, je vis que tous, dans l'amphithéâtre, s'étaient levés.

Ils avançaient lentement, ils avançaient vers papa et maman. Eux aussi devaient faire vite, maintenant. Ils n'avaient plus beaucoup de temps avant le lever du jour. Ils n'avaient plus beaucoup de temps pour...

– Viens, Jimmy. On va prendre de l'élan. Viens !

Je reculai de quelques pas. Il n'y avait qu'à donner à l'arbre une bonne poussée et il basculerait. Ses racines presque toutes hors de terre ne le retenaient qu'à peine. Une bonne poussée, et la lumière du soleil envahirait l'amphithéâtre, la belle lumière dorée du soleil. Les morts-vivants ne supportent pas le soleil. Papa et maman seraient sauvés, nous serions sauvés, tous les quatre.

– Prêt, Jimmy ? chuchotai-je.

Il hocha la tête, le visage grave.

– On y va !

Nous élançant côte à côte, les bras en avant, nous avons poussé l'arbre de toutes nos forces.

Nous avons poussé, poussé, poussé.

L'arbre ne bougea pas.

– Plus fort, Jimmy ! plus fort !

Jimmy laissa échapper un soupir découragé :

– On ne peut pas, Anna. On n'y arrivera pas.

– Jimmy, s'il te plaît !

Il recula pour essayer encore.

De l'amphithéâtre montait maintenant une rumeur menaçante.

Je suppliai :

– Plus fort, Jimmy ! Pousse plus fort !

Arc-boutés sur nos talons, nous continuions à pousser avec nos épaules, les muscles raidis, le souffle court.

– Encore ! Plus fort !

Les veines de mes tempes me semblaient prêtes à éclater.

L'arbre ne bougeait pas.

En dessous de nous montait le grondement des voix.

Désespérée, terrifiée, je jurai :

– Saleté d'arbre ! On n'y arrivera pas ! Il ne bouge pas !

Vaincue, je me laissai tomber contre le tronc, cachant mon visage dans mes mains.

Alors j'entendis un craquement et je bondis en avant. Le craquement devint un grondement et il me sembla que le sol s'ouvrait en deux. L'arbre tomba comme une masse avec un bruit de tremblement de terre.

Je saisis Jimmy par le bras. Nous étions là, tous les deux, stupéfaits, incrédules, tandis que la lumière du soleil, sortant au même instant du fond de l'horizon, illuminait l'amphithéâtre.

Des cris s'élevèrent, cris de colère, cris d'épouvante, cris d'horreur, qui se transformèrent en hurlements de douleur, en clameurs d'agonie. Dans la lumière dorée du soleil, les morts-vivants se bousculaient, s'agrippaient, se battaient, cherchant désespérément à rejoindre l'ombre. Mais il était trop tard. Déjà leur peau se détachait, dénudant les crânes, les os.

Figés d'horreur, nous les regardions se désagréger, devenir poussière.

Je vis Karen Simon tituber. Soudain elle se tourna vers moi et me jeta un regard, un long regard triste. Et juste avant que son visage devienne un crâne aux orbites vides, je compris qu'elle me criait : « Merci, Anna, merci ! »

Je fermai les yeux, je me couvris les oreilles de mes mains, incapable de supporter plus longtemps la vision de cette ville en agonie, détruite par le soleil, le clair et chaud soleil d'un matin d'été.

Quand j'osai regarder à nouveau, tout était fini.

Papa et maman étaient toujours debout à la même place, ligotés dos à dos, incrédules, horrifiés. Je m'élançai :

– Papa ! Maman !

Jamais je n'oublierai leur sourire quand ils nous ont vus, Jimmy et moi, courir vers eux pour les libérer.

Cela ne nous prit guère de temps de rassembler nos affaires et d'appeler en urgence les déménageurs pour tout remporter chez nous.

Comme nous nous entassions dans la voiture pour partir, papa remarqua :

– Une chance, finalement, que nous n'ayons pas encore réussi à vendre notre ancienne maison !

Il démarra, manœuvra, changea de vitesse pour accélérer, lorsque brusquement je m'écriai :

– Arrête !

Je ne sais pourquoi, j'avais soudain un désir violent de jeter un dernier coup d'œil à la maison. À peine la voiture arrêtée, sans prêter attention aux appels de mes parents qui n'y comprenaient rien, j'ouvris la portière et remontai la rue en courant.

Debout au milieu de la cour, je contemplai la maison vide, silencieuse, dans l'ombre épaisse des grands arbres, son toit d'ardoises, ses deux fenêtres jumelles, de chaque côté du grand porche de bois, semblables à des yeux sans regard, désormais.

Je m'entendis murmurer :

– J'ai habité cette maison.

Je ne sais combien de temps je suis restée là, immobile, comme fascinée. Un coup de klaxon impatient, en bas de la rue, me tira de ma contemplation. Je tournai les talons et courus jusqu'à la voiture. N'avais-je pas cru apercevoir un visage derrière la vitre ? Mais non, ce n'était personne. Ce n'était qu'une ombre, un simple reflet.

Il ne pouvait plus y avoir personne dans la maison des morts.

Je claquai la portière et la voiture démarra en trombe.

Je ne me retournai pas pour regarder en arrière.

FIN

Et pour avoir encore la

Chair de poule.

lis
ces quelques pages de

La nuit des pantins

— Aïe !

Lucy cria, puis recula, la joue en feu :

— Tu me le paieras, Caro ! Tu m'as fait mal !

— Moi ? J'ai rien fait ! C'est Clac-Clac !

— Ne fais pas l'idiote ! Tu m'as vraiment fait mal ! se plaignit Lucy en se frottant la joue.

— Mais ce n'est pas moi ! répéta Caro en tournant la tête de Clac-Clac vers elle. Pourquoi as-tu été aussi méchant avec Lucy ?

Monsieur Lafaye se leva d'un bond.

— Arrête de faire l'imbécile et excuse-toi auprès de ta sœur, ordonna-t-il.

Caro fit baisser la tête à Clac-Clac.

— Excuse-moi, fit-elle dire à la poupée.

— Non, avec ta voix, insista monsieur Lafaye en croisant les bras d'un air décidé. Ce n'est pas Clac-Clac qui a fait mal à Lucy. C'est toi.

– D'accord, d'accord, marmonna Caro en rougissant, sans oser regarder sa sœur. Je m'excuse. Tiens ! ajouta-t-elle en lui lançant Clac-Clac dans les bras.

Surprise par le poids de la poupée, Lucy faillit la lâcher.

– Et maintenant, comment je fais ?

Caro haussa les épaules et alla s'écrouler dans le canapé à côté de sa mère.

– Pourquoi est-ce que tu fais tant d'histoires ? murmura madame Lafaye en se penchant vers elle.

Caro rougit de nouveau.

– Clac-Clac est à moi ! Pour une fois, je ne pourrais pas avoir quelque chose à moi ? dit-elle.

Monsieur Lafaye s'assit sur l'accoudoir d'un fauteuil de l'autre côté de la pièce.

– Ah, les filles, parfois, vous êtes vraiment délicieuses et parfois, tellement odieuses…

– Comment on fait bouger sa bouche ? demanda Lucy en retournant la poupée pour examiner son dos.

– Il y a une ficelle derrière, dans la fente de sa veste, expliqua sa sœur à contrecœur. Tu n'as qu'à tirer.

« Je ne veux pas que Lucy touche à Clac-Clac, pensait Caro avec colère. Je ne veux pas partager. Pourquoi est-ce que je ne pourrais pas avoir quelque chose qui m'appartienne ? Pourquoi est-ce qu'elle doit toujours me copier ? »

Elle respira profondément pour faire passer sa colère.

Cette nuit-là, Lucy s'assit toute droite dans son lit. Elle venait d'avoir un cauchemar, elle en avait encore le cœur battant. Elle était poursuivie, mais par quoi ? par qui ? Impossible de s'en souvenir.

Elle regarda autour d'elle la pièce plongée dans l'obscurité, attendant que ses battements de cœur s'apaisent. L'air était étouffant dans la chambre, bien que la fenêtre fût ouverte.

Caro était profondément endormie dans le lit voisin. Elle ronflait doucement, les lèvres entrouvertes, ses cheveux cachant en partie son visage.

Lucy jeta un coup d'œil sur le radio-réveil posé sur la table de chevet entre les lits jumeaux. Il était près de trois heures du matin. Elle avait beau être parfaitement réveillée, le cauchemar ne se dissipait pas. La nuque brûlante, elle se sentait encore mal à l'aise, effrayée, comme si elle était en danger.

Elle regonfla son oreiller et l'appuya contre la tête de lit. À ce moment-là, son attention fut attirée par quelque chose.

Quelqu'un était assis sur le fauteuil devant la fenêtre de la chambre. Quelqu'un qui la regardait.

Elle retint son souffle, puis elle réalisa que c'était Clac-Clac. Il baignait dans le clair de lune, ce qui faisait luire ses yeux. Il était assis, bizarrement penché vers la droite, un bras posé sur l'accoudoir. Il arborait un grand sourire moqueur et il avait l'air de la dévisager.

Lucy le dévisagea à son tour, observant l'expression du pantin. Puis, sans réfléchir, sans même s'en rendre compte, elle sortit silencieusement de son lit. Elle faillit s'étaler en se prenant le pied dans le drap. S'en débarrassant d'un mouvement impatient, elle traversa la chambre d'un pas résolu.

Clac-Clac avait les yeux levés vers elle. Son sourire parut s'élargir encore quand elle se pencha. Elle tendit la main pour toucher les cheveux de bois. La poupée avait la tête chaude, plus chaude qu'elle ne l'aurait cru...

Lucy retira sa main, comme si elle s'était brûlée. *C'était quoi, ce bruit ?* Clac-Clac qui ricanait ? Il se moquait d'elle ?

Non. Bien sûr que non. Lucy s'aperçut qu'elle avait le souffle court. « Pourquoi est-ce que j'ai aussi peur d'une poupée idiote ? » pensa-t-elle.

Derrière elle, Caro grommela dans son sommeil et roula sur le dos.

Lucy regarda les gros yeux de Clac-Clac, qui brillaient dans la pénombre. Elle s'attendait à les voir cligner.

Brusquement, elle se sentit stupide. « Ce n'est qu'un pantin de bois », se dit-elle en le repoussant du plat de la main. Le corps, tout raide, tomba sur le côté. La tête fit un petit bruit mat en heurtant l'accoudoir du fauteuil.

Lucy le regarda, étrangement satisfaite, comme si elle venait de lui infliger une bonne leçon. Prête à se rendormir, elle se dirigea vers son lit.

Elle n'avait pas fait un pas que Clac-Clac l'attrapa par le poignet...

Découvre vite la suite de cette histoire
dans
La nuit des pantins
N° 2 de la série
Chair de poule.

Chair de poule®

Imprimé en Espagne
par Novoprint